D1236920

CANTINHO DO AVILLEZ

As Receitas

6.ª edição

a esfera dos livros

A Esfera dos Livros
Rua Professor Reinaldo dos Santos, 42, r/c
1500-507 Lisboa
Tel. 213 404 060
Fax 213 404 069
www.facebook.com/aEsferadosLivros
www.instagram.com/aesferadoslivros
www.esferadoslivros.pt

Distribuição VASP
MLP-Media Logística Park
Quinta do Granjal - Venda Seca
2739-511 Agualva-Cacém
encomendaslivros@vasp.pt
Telefone: 214 337 017

1.ª edição: novembro de 2013
6.ª edição: janeiro de 2016
1.ª republicação: dezembro de 2016
2.ª republicação: março de 2018
3.ª republicação: fevereiro de 2019

Capa: Compañia

Design: Nazaré Guimarães

Coordenação e organização: Mónica Bessone

Direção de arte: Mónica Bessone

Confeção e coordenação das receitas:
José Avillez, David Jesus, Vicente Neto

Fotografias: Paulo Barata

Paginação: dprojetos | Jorge Carvalho
www.dprojetos.pt

Revisão: Sofia Graça Moura

Tradução para inglês: nota bene

Impressão e acabamento: Multitipo

Depósito legal n.º 368 445/13
ISBN 978-989-626-508-3

Dedico este livro aos meus filhos Zé Francisco
e Martinho e à minha mulher Sofia

For my children Zé Francisco
and Martinho, and my wife Sofia

CANTINHO
DO
AVILLEZ

CANTINHO
DO
AVILLEZ

INTRODUÇÃO / INTRODUCTION

Foi a 6 de setembro de 2011 que abrimos o CANTINHO DO AVILLEZ no número 7 da Rua dos Duques de Bragança, no Chiado, em Lisboa. O Cantinho do Avillez concretizou o sonho antigo de oferecer uma boa cozinha e um serviço simpático num ambiente moderno, descontraído e acolhedor. Lembro-me muito bem dos nossos primeiros clientes: duas raparigas asiáticas que entraram ao engano a achar que ainda era o cibercafé que em tempos existiu neste espaço. Mesmo sem termos Internet, convenci-as a ficar. Eram 19h25 e estávamos todos atarefados, a 5 minutos de abrir oficialmente o restaurante, mas foi com gosto que lhes servimos uns peixinhos da horta e umas cervejas. Ficaram conquistadas. Desde esse primeiro dia já servimos mais de 120 000 refeições, a mais de 20 000 pessoas, de mais de 40 países diferentes, de todos os cantos do mundo. Recebemos o Anthony Bourdain nas gravações do programa de televisão *No Reservations*. E saímos no *NY Times* como um dos 4 restaurantes imperdíveis em Lisboa. Com muito trabalho, dedicação, risos, gargalhadas e até com algumas lágrimas, temos feito crescer o nosso CANTINHO. Todos os dias entregamo-nos com o mesmo empenho do primeiro dia.

Neste livro encontra muitas das receitas que fizeram ou fazem parte da carta do CANTINHO e encontra também a nossa paixão. Obrigado.

On 6th September, 2011, we opened CANTINHO DO AVILLEZ at number 7, Rua dos Duques de Bragança, in Lisbon's Chiado neighbourhood. It was the culmination of a long-held desire to offer good food and friendly service in a modern, relaxed and welcoming atmosphere. I remember our first customers very well: two Asian girls who had stumbled in, thinking it was still the web café that used to occupy the same space. Despite us not having internet, I convinced them to stay. It was 7.25 pm and we were all very busy, just 5 minutes before officially opening the restaurant; however, we happily served them some *peixinhos da horta* (deep-fried green beans) and a few beers. They were won over. Since that first day, we have served over 120,000 meals to over 20,000 people, from more than 40 different countries. We cooked for Anthony Bourdain when he recorded the Lisbon edition of *No Reservations*. We were featured in the *New York Times*, as one of the four essential restaurants in Lisbon and we have seen our CANTINHO grow with much dedication, laughs and even a few tears along the way. Every day, just like the first, we put our heart and soul into everything we do.

Here, in this book, you will find many of the dishes that have been, or still are on the CANTINHO menu. You will also encounter our passion for the finest cuisine. Thank you.

CANTINHO DO AVILLEZ

CANTINHO
DO
AVILLEZ

COCKTAILS

Primo Basílico

1 Pessoa

Ingredientes:

75 ml de gim
35 ml de sumo de limão
25 ml de calda de açúcar
8 folhas de manjericão
3 gotas de Pernod
20 ml de clara de ovo
Gelo em cubos q.b.
Vidrado de limão (sem a parte branca) q.b.

CALDA DE AÇÚCAR:
100 g de açúcar
60 g água

Para preparar a calda de açúcar, num tacho, leve a ferver a água e o açúcar. Deixe ferver 30 segundos, retire do lume, deixe arrefecer e reserve.

Num copo *shaker*, coloque as folhas de manjericão e pressione bem. Acrescente o Pernod, o sumo de limão, o gim, a calda de açúcar, a clara de ovo, feche o *shaker* e agite. Abra o *shaker*, junte alguns cubos de gelo e bata novamente até sentir o copo bem frio em baixo. Abra novamente o *shaker* e, com a ajuda de um *strainer* e de um coador de rede fina, coe a mistura para uma taça de *cocktail*. Aperte o vidrado de limão (para soltar o óleo) sobre o *cocktail* para dar frescura. Por fim, passe o vidrado de limão sobre o rebordo do copo e sirva de imediato.

Primo Basílico

Serves 1

Ingredients:

75 ml gin
35 ml lemon juice
25 ml simple syrup
8 basil leaves
3 drops of Pernod
20 ml egg white
Ice cubes
Lemon zest

Simple syrup:
100 g sugar
60 g water

For the simple syrup, bring the sugar and water to boil in a pan. Leave to boil for 30 seconds, remove from the heat, leave to cool and reserve.

Put the basil leaves in a shaker and pound well. Add the Pernod, the lemon juice, the gin, the syrup and the egg white, close the shaker and shake. Open the shaker, add a few ice cubes and shake again until the bottom of the shaker is very cold. Open the shaker and, with the help of a strainer and a fine sieve, drain the cocktail into the glass. Squeeze the lemon zest (to release the oil) over the cocktail to give it extra freshness. Finally, run the zest around the rim of the glass and serve immediately.

Lisboa

1 Pessoa

Ingredientes:

35 ml de vodca
35 ml de sumo de arando
35 ml de puré de framboesa
35 ml de sumo de limão
12,5 ml de calda de açúcar
5 ml de Chambord
Ginger beer q.b.
Gelo em cubos q.b.
1 gomo de lima

CALDA DE AÇÚCAR:
100 g de açúcar
60 g água

Para preparar a calda de açúcar, num tacho, leve a ferver a água e o açúcar. Deixe ferver 30 segundos, retire do lume, deixe arrefecer e reserve.

Num copo *shaker*, junte os primeiros seis ingredientes e acrescente cubos de gelo até encher. Feche o *shaker* e agite bem durante 1 minuto. Num copo de servir, coloque alguns cubos de gelo. Abra o *shaker* e, com a ajuda de um *strainer* e de um coador de rede fina, coe o *cocktail* para um copo de servir. Acrescente *ginger beer* até acabar de encher o copo. Finalize com meio gomo de lima e sirva de imediato.

Lisboa

Serves 1

Ingredients:

35 ml vodka
35 ml cranberry juice
35 ml raspberry purée
35 ml lemon juice
12.5 ml simple syrup
5 ml Chambord
Ginger beer to taste
Ice cubes to taste
1 wedge of lime

SIMPLE SYRUP:
100 g sugar
60 g water

For the simple syrup, bring the sugar and water to boil in a pan. Leave to boil for 30 seconds, remove from the heat, leave to cool and reserve.

Put the first six ingredients into a cocktail shaker and fill it up with ice cubes. Close the shaker and shake well for a minute. Put a few ice cubes in a glass. Open the shaker and, with the help of a strainer and a fine sieve, drain the cocktail into the glass. Fill the glass to the brim with ginger beer. Garnish with a lime wedge and serve immediately.

COCKTAILS
PISCO SOUR
PISCO, LIMÃO
PRIMO BASÍLICO
GIN, LIMÃO, MANJERICÃO
PARIS ST. GERMAIN
GIN, TORANJA, FLOR DE SABUGUEIRO
MX GINGER
6.50 €
TEQUILA, LIMÃO, GENGIBRE
LISBOA
6.50 €
VODKA, FRUTAS SILVESTRES, GENGIBRE

Mojito à Cantinho

1 Pessoa

Ingredientes:

75 ml de Pampero (rum branco)
6 folhas de hortelã
½ lima
1 colher de sopa de açúcar
35 ml de *ginger beer*
Gelo em cubos q.b.
Gelo picado q.b.

Num copo *shaker*, junte a meia lima, o açúcar e a hortelã. Pressione bem. Acrescente o rum e gelo em cubos. Feche o *shaker* e bata durante 10 segundos. Num copo de servir, coloque os 35 ml de *ginger beer* e gelo picado até encher. Abra o *shaker* e, com a ajuda do *strainer*, coe a mistura para dentro do copo de servir. Finalize com uma folha de hortelã e sirva de imediato.

Mojito à Cantinho

Serves 1

Ingredients:

75 ml Pampero (white rum)
6 mint leaves
½ lime
1 tablespoon of sugar
35 ml ginger beer
Ice cubes
Crushed ice

Combine the lime half, sugar and mint in a shaker. Muddle (gently pound) well. Add the rum and ice cubes. Close the shaker and shake for 10 seconds. Pour the ginger beer into a glass and fill with crushed ice. Open the shaker and, with the help of a strainer, drain into the glass. Garnish with a mint leaf and serve immediately.

Chiado laranja

1 Pessoa

Ingredientes:

60 ml de Pampero (rum branco)
35 ml de sumo natural de limão
30 ml de sumo natural de laranja
20 ml de clara de ovo
2 colheres de chá de mel
Gelo em cubos q.b.
Vidrado de limão (sem a parte branca) q.b.

Num copo de bar, junte o mel e o rum e mexa bem até o mel ficar bem dissolvido. Num copo *shaker*, junte o sumo de laranja, o sumo de limão, a mistura de rum e mel, a clara de ovo e gelo em cubos. Feche o *shaker* e agite bem até sentir o copo fresco. Abra o *shaker* e, com a ajuda de um *strainer* e de um coador de rede fina, coe a mistura para uma taça de *cocktail*. Esprema o vidrado de limão sobre o *cocktail*. Por fim, passe o vidrado de limão sobre o rebordo do copo. Sirva de imediato.

Chiado laranja

Serves 1

Ingredients:

60 ml Pampero (white rum)
35 ml fresh lemon juice
30 ml fresh orange juice
20 ml egg white
2 teaspoons of honey
Ice cubes
Lemon zest

Mix the honey and rum and stir well until the honey dissolves. In a shaker, combine the orange juice, lemon juice and the rum and honey mix, egg white and ice cubes. Close the shaker and shake well until it feels cool. Open the shaker and, with the help of a strainer and a fine sieve, drain into a cocktail glass. Squeeze the lemon zest over the cocktail. Finally, run the zest around the rim of the glass. Serve immediately.

CANTINHO
DO
AVILLEZ

ENTRADAS
(STARTERS)

€ 1,60
€ 3,60
€ 3,20
€3,00

Azeitonas marinadas

4 Pessoas

Ingredientes:

250 g de azeitonas galegas
5 g de alho esmagado
2 raminhos de tomilho
25 ml de azeite
Vidrado de limão q.b.
Vidrado de laranja q.b.

Misture todos os ingredientes e reserve no frio ou num local fresco. Deixe marinar durante, pelo menos, 6 horas.

Marinated olives

Serves 4

Ingredients:

250 g *galega* olives
5 g crushed garlic
2 sprigs of thyme
25 ml olive oil
Lemon zest to taste
Orange zest to taste

Combine all the ingredients and refrigerate or keep somewhere cool. Leave to marinate for at least 6 hours.

Tostas de pão caseiro

Ingredientes:

Pão alentejano q.b.
Azeite q.b.
Sal q.b.
Pimenta q.b.

Corte o pão em fatias muito finas. Num tabuleiro de ir ao forno, coloque as fatias lado a lado e tempere-as com azeite, sal e um pouco de pimenta. Leve ao forno pré-aquecido a 170°C durante 6 a 7 minutos ou até o pão ficar crocante e dourado.

Rustic toast

Ingredients:

Alentejo (rustic) bread
Olive oil
Salt
Pepper

Cut the bread into very thin slices. Put them on a baking sheet and season them olive oil, salt and a little pepper to taste. Place them in a pre-heated oven (170°C) for between 6 and 7 minutes or until the bread is golden and crisp.

Dip de tomate e alho

4 Pessoas

Ingredientes:

750 g de tomate em cacho
1 1/2 dente de alho
80 g de azeite
50 g de miolo de pão alentejano
Sal q.b.
Pimenta q.b.

Corte o tomate em pedaços e coloque dentro de um copo misturador juntamente com o alho (descascado e sem gérmen), o azeite, o miolo de pão alentejano, sal e pimenta. Triture tudo. Corrija os temperos com sal e pimenta. O pão controla a espessura do preparado. Se desejar mais espesso, acrescente mais pão. Passe para uma taça e mantenha no frio até servir. Acompanhe com tostas de pão caseiras.

Tomato and garlic dip

Serves 4

Ingredients:

750 g tomatoes on the vine
1 1/2 cloves of garlic
80 g olive oil
50 g Alentejano (rustic) bread without the crust
Salt
Pepper

Cut the tomato into chunks and put them into a food processer with the garlic (peeled and with the core removed), the olive oil, the Alentejano (rustic) bread, salt and pepper. Blend everything. Check the seasoning by adding salt and pepper. The bread determines the thickness of the mixture. If you want it thicker, add more bread. Put into a bowl and keep cool. Serve with rustic toast.

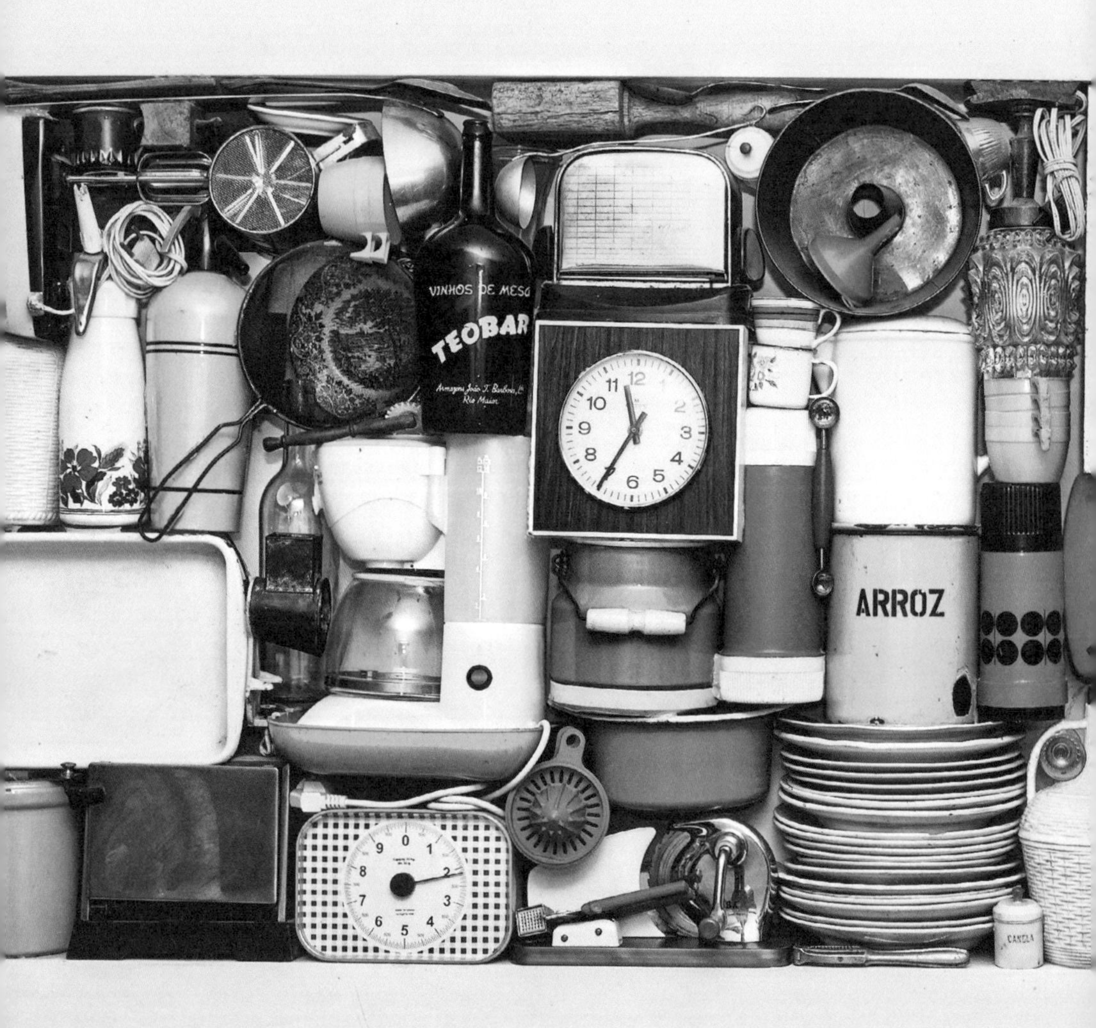
TEOBAR
ARROZ
CANELA

Farinhas
Mariazinha
Preços
PÃO RALADO
Macarronete
Açúcar
de Portugal
ÁGUA DA BELA VISTA
GASIFICADA
1 LITRO
ALTA QUALIDADE
Arieiro
ÁGUA DO ARIEIRO
ALHOS

COSTA
NOVA

Gaspacho de cerejas e abacate

4 Pessoas

Ingredientes:

500 g de cerejas descaroçadas
7 unidades de tomate-chucha com rama
1 cebola média
1 ½ pimento encarnado
1 pepino pequeno
1 fatia grande de pão alentejano
(ou 3 fatias pequenas)
½ lata de sumo de tomate
1 dl de vinagre de Xerez
6 a 10 cubos de gelo
1 abacate
Sumo de limão q.b.
40 g de cebola roxa
Azeite q.b.
Sal q.b.
Pimenta q.b.

Numa taça grande, junte o pão sem côdea cortado em cubos, o tomate cortado em bocados pequenos, a cebola descascada cortada em cubos, o pepino pelado e sem sementes cortado em fatias e o pimento sem sementes cortado em bocados pequenos. Tempere tudo com sumo de tomate, azeite, vinagre de Xerez, sal, pimenta e envolva bem. Cubra com cubos de gelo, tape com película aderente e deixe ficar no frigorífico durante 12 horas.

Coloque o abacate descaroçado e sem pele dentro de uma taça. Tempere com sumo de limão, migue com um garfo e acrescente um pouco de cebola roxa picada. Envolva bem, junte um fio de azeite e envolva novamente. Reserve no frio.

Triture muito bem as cerejas descaroçadas, coe e reserve. Retire o gaspacho do frio e triture-o duas vezes. Por cada litro de gaspacho, junte 4 dl de puré de cerejas. Misture bem. Se preferir uma textura mais fina, passe o gaspacho de cerejas por um passador de rede. No fundo de cada prato, coloque um pouco de creme de abacate ao centro e acrescente o gaspacho. Finalize com um fio de azeite e sirva de imediato com manjericão ou hortelã.

Cherry and avocado *gaspacho*

Serves 4

Ingredients:

500 g pitted cherries
7 small plum tomatoes on the vine
1 medium onion
1 1/2 red peppers
1 small cucumber
1 large slice of Alentejo (rustic) bread (or 3 small slices)
1/2 tin of tomato juice
1 dl sherry vinegar
6-10 ice cubes
1 avocado
Lemon juice
40 g red onions
Olive oil
Salt
Pepper

In a large bowl, add the bread (diced and without the crust), the chopped tomato, the onion (peeled and diced), the cucumber (peeled, sliced and seeds removed) and the pepper (diced and seeds removed). Add the tomato juice, olive oil, sherry vinegar, salt and pepper, mixing well. Cover with ice cubes, cover with film and chill for 12 hours.

Place the avocado (peeled with stone removed) in a bowl. Season with lemon juice, mash with a fork and add a little chopped red onion. Mix well, add a drizzle of olive oil and mix again. Refrigerate.

Blend the cherries well, drain and reserve. Take the *gaspacho* and blend it twice. For each litre of *gaspacho* add 4 dl of cherry purée. Mix well. If you prefer a finer texture, pass the cherry *gaspacho* through a fine mesh strainer. In the centre of each bowl, put a little avocado cream and add the gaspacho. Finish with a drizzle of olive oil and serve immediately with basil or spearmint.

Atum de «conserva» caseira com maionese de gengibre e lima

4 Pessoas

Ingredientes:

ATUM:

400 g de atum limpo (escolha uma zona perto da barriga ou outra com mais gordura do que o lombo)
Água q.b.
Gelo q.b.
Vidrado de lima q.b.
4 grãos de pimenta-preta
150 ml de azeite
Azeite q.b.
Raspas de ½ lima
Sal q.b.
Flor de sal q.b.
Pimenta-rosa q.b.

MAIONESE DE GENGIBRE E LIMA:

40 g de maionese, de preferência caseira
12 g de sumo de gengibre (gengibre ralado e espremido num passador de rede)
5 g de sumo de lima

EMULSÃO DE SOJA E GENGIBRE:

35 ml de soja
35 ml de sumo de gengibre
200 ml de azeite

Misture a soja com o sumo de gengibre e emulsione com o azeite.

Coloque o atum em água com sal e gelo durante 10 minutos (20 g de sal para 1 litro de água). Retire o atum da salmoura, seque-o bem em papel absorvente e coloque-o num saco de vácuo com o azeite, os grãos de pimenta-preta e o vidrado de lima. Coza no forno a vapor a 65°C durante 25 minutos. [Em alternativa, poderá cozer o atum da seguinte forma: coloque o atum e a marinada dentro de um saco *zip lock*, retire bem o ar e feche. Com a ajuda de um termómetro, aqueça água até aos 72°C. Quando a água atingir a temperatura pretendida, deite-a para dentro de uma caixa rígida térmica (uma geladeira rígida com tampa), deixe a temperatura baixar para os 70°C, coloque lá dentro o saco com o atum, feche bem a tampa e deixe cozer durante 25 minutos.] Seguidamente, retire o saco do atum e arrefeça-o, sem o abrir, em água e gelo. Combine a maionese com os restantes ingredientes. Retire o atum do saco, corte-o em fatias e tempere-o com a emulsão de soja e gengibre e com a maionese de gengibre e lima, azeite e pimenta-rosa. Finalize com raspas de lima e flor de sal. Sirva de imediato.

Homemade «canned» tuna with ginger and lime mayonnaise

Serves 4

Ingredients:

TUNA:
400 g fresh tuna (choose a part close to the belly with more fat than loin)
Water
Ice
Lemon zest
4 black pepper corns
150 ml olive oil
Olive oil
Peel of 1/2 a lime
Salt
Salt flower
Pink pepper

GINGER AND LIME MAYONNAISE:
40 g mayonnaise, preferably homemade
12 g ginger juice (grated ginger squeezed through strainer)
5 g lime juice

SOY AND GINGER EMULSION:
35 ml soy sauce
35 ml ginger juice
200 ml olive oil

Combine the soy sauce with the ginger juice and create an emulsion with the olive oil.

Place the tuna in water with salt and ice for 10 minutes (20 g salt for every litre of water). Remove the tuna from the water, dry well on kitchen paper and place in a vacuum bag with olive oil, the black pepper corns and lemon peel. Steam in the oven (65°C) for 25 minutes (alternatively, put the tuna and the marinade in a zip lock bag, squeeze all the air out and seal. With the help of a thermometer, heat the water to 72°C. When the water reaches the desired temperature, pour it into a rigid cooler (which has a lid), let the temperature drop to 70°C, put the bag with the tuna inside the box, close the lid tightly and let it cook for 25 minutes). After 25 minutes, remove the bag with the tuna and let it cool unopened in iced water. Combine the mayonnaise with the remaining ingredients. Remove the tuna from the bag, cut it into slices and season it with the soy sauce, ginger and olive oil emulsion, pink pepper and the mayonnaise. Garnish with lime peel and salt flower. Serve immediately.

Vieiras marinadas com abacate

4 Pessoas

Ingredientes:

VIEIRAS:
12 vieiras
3 colheres de sopa de sumo de lima
2 colheres de sopa de sumo de limão
4 colheres de sopa de azeite
10 folhas de coentros picados em juliana fina
1 malagueta encarnada cortada em cubinhos
Sal q.b.
Pimenta q.b.

GUACAMOLE:
800 g de abacate bem maduro
15 g de tomate-chucha picado finamente
15 g de cebola branca picada finamente
10 g de pimento encarnado picado finamente
3 g de sumo de limão
2 g de cominhos
10 g de sal fino
5 g de molho Tabasco

CRUMBLE DE PÃO:
50 g de miolo de pão alentejano
Óleo para fritar q.b.

Arranje os abacates (descasque e retire o caroço). Numa taça, migue o abacate com a ajuda de um garfo, junte o sumo de limão, o tomate, a cebola e o pimento encarnado. Corrija os temperos com cominhos, sal fino e Tabasco. Reserve no frio.

Triture o miolo de pão alentejano, frite em óleo quente, escorra bem e reserve.

Limpe bem as vieiras. Corte-as, já arranjadas, em rodelas e tempere com sumo de lima, sumo de limão, sal, pimenta e azeite. Acrescente os coentros em juliana fina e a malagueta sem sementes cortada em cubinhos. Reserve no frigorífico durante, pelo menos, 10 minutos e até a um máximo de 30 minutos.

Num prato de servir, coloque o guacamole ao centro e, por cima, as vieiras marinadas. Finalize com um pouco de *crumble* de pão e sirva de imediato.

Marinated scallops with avocado

Serves 4

Ingredients:

SCALLOPS:
12 scallops
3 tablespoons of lime juice
2 tablespoons of lemon juice
4 tablespoons of olive oil
10 coriander leaves chopped into fine strands
1 diced red chili
Salt
Pepper

GUACAMOLE:
800 g ripe avocados
15 g small plum tomatoes, finely chopped
15 g white onion, finely chopped
10 g red pepper, finely chopped
3 g lemon juice
2 g cumin
10 g fine-grain salt
5 g Tabasco sauce

BREAD CRUMBLE:
50 g Alentejano (rustic) bread without crusts
Oil to fry

Prepare the avocados (peel and remove the stone). Mash the avocado with a fork in a bowl, add the lemon juice, tomato, onion and the red pepper. Check seasoning with cumin, fine-grain salt and Tabasco. Refrigerate.

Put the Alentejano (rustic) bread through a food processer, fry in hot oil, drain and reserve.

Clean the scallops. Cut the prepared scallops into slices and season with the lime juice, lemon juice, salt, pepper and olive oil. Add the fine strands of coriander and red chili (diced and seeded). Refrigerate for 10 to 30 minutes.

Put some avocado cream in the centre of your serving plate and place the marinated scallops on top. Garnish with a little bread crumble and serve immediately.

Peixinhos da horta «alimados» com sal de limão confit

4 Pessoas

Ingredientes:

400 g de feijão-verde

POLME UTILIZADO NO CANTINHO DO AVILLEZ:
165 g de Trisol (se não conseguir encontrar Trisol, siga a receita alternativa)
245 g de farinha sem fermento
3,7 dl de água
17 g de sal fino
0,7 g de açúcar fino
0,7 g de fermento de padeiro fresco

POLME ALTERNATIVO:
80 g de farinha
1 ovo biológico, de preferência
1 colher de sopa de cebola finamente picada
Água q.b. e vodca q.b., em partes iguais
Sal de limão q.b.
Sal q.b.
Pimenta q.b.
Óleo para fritar q.b.

SAL DE LIMÃO:
2 limões
60 g de sal marinho

MOLHO TÁRTARO:
165 g de maionese (caseira, de preferência)
15 g de cornichons
½ ovo cozido picado
2,5 g de mostarda Dijon
15 g de alcaparras
25 g de picles
Vinagre de vinho tinto q.b.

Comece por preparar o sal de limão. Corte os limões em quartos e cubra com o sal. Deixe secar no forno aquecido a 80°C durante 2 horas, aproximadamente. Retire o sal, mas mantenha um pouco da polpa do limão. Triture até obter sal fino e reserve.

Prepare o molho tártaro misturando todos os ingredientes. Reserve no frio.

Retire os fios e as pontas do feijão-verde. Coza o feijão-verde em água a ferver temperada com sal durante 3 minutos. Logo de seguida, arrefeça-o em água com gelo e sal. Para preparar o polme do Cantinho do Avillez, misture todos os ingredientes secos, junte a água, pouco a pouco, e envolva bem até obter um polme. Se não encontrar Trisol, siga a receita alternativa. Num recipiente, deite a farinha e dissolva-a com um pouco de água e vodca em partes iguais até obter uma mistura nem muito líquida, nem muito espessa. Junte o ovo batido e a cebola. Envolva bem o preparado e tempere com sal e pimenta.

Passe as vagens de feijão por farinha e depois pelo polme e frite em óleo, a 180°C, até dourarem. Escorra sobre papel absorvente. Tempere com sal de limão e sirva de imediato com o molho tártaro.

Deep-fried green beans (*peixinhos da horta*) with lemon confit salt

Serves 4

Ingredients:
400 g green beans

BATTER USED AT CANTINHO DO AVILLEZ:
165 g Trisol (if you cannot find Trisol, use the alternative recipe)
245 g plain flour
3.7 dl water
17 g fine-grain salt
0.7 g caster sugar
0.7 g fresh baker's yeast

ALTERNATIVE BATTER:
80 g flour
1 egg (preferably organic)
1 tablespoon of finely chopped onion
Equal amounts of water and vodka
Lemon salt
Salt
Pepper
Oil for frying

LEMON SALT:
2 lemons
60 g sea salt

TARTAR SAUCE:
165 g mayonnaise (preferably homemade)
15 g gherkins
chopped boiled egg
2.5 g Dijon mustard
15 g capers
25 g pickles
Red wine vinegar

Prepare the lemon salt by cutting the lemon into quarters and covering it with salt. Leave it to dry in the oven (80°C) for around 2 hours approximately. Remove the salt, but keep a little of the lemon pulp. Grind until you get fine salt and reserve.

Mix together the ingredients for the tartar sauce and refrigerate.

String and top and tail the green beans. Boil the beans in salted boiling water for 3 minutes and then immediately cool them in salted and iced water. To prepare the Cantinho do Avillez batter, mix all the dry ingredients together, slowly add the water and fold until you have a batter. If you cannot find Trisol, use the alternative recipe. In a bowl mix the flour with a little water and vodka (in equal parts) until the mixture is neither too runny nor too thick. Add the beaten egg and the onion. Fold the mixture well and season with salt and pepper.

Dip the green beans in flour and then in the batter in pairs and fry in oil (180°C) until golden. Drain on kitchen paper. Season with the lemon salt and serve immediately with the tartar sauce.

Camarões à Bulhão Pato

4 Pessoas

Ingredientes:

800 g de camarão 40/50
50 g de alho laminado, sem gérmen e descascado
80 ml de vinho branco
Sumo de limão q.b.
Coentros finamente laminados q.b.
Azeite q.b.
Sal q.b.

Descasque o camarão, retire a tripa e tempere com sal. Numa frigideira antiaderente, coloque um pouco de azeite, deixe aquecer ligeiramente, junte o alho laminado e deixe cozinhar cerca de 30 segundos, sem ganhar cor. Acrescente os camarões, deixe cozinhar um pouco, vire um a um para que fiquem cozinhados uniformemente, refresque com o vinho branco, junte os coentros e retire do lume. Finalize com o sumo de limão e retifique os temperos com sal. Sirva de imediato.

Prawns à *Bulhão Pato*

Serves 4

Ingredients:

800 g medium prawns (40/50)
50 g thinly sliced garlic, peeled and cored
80 ml white wine
Lemon juice
Coriander finely chopped
Olive oil
Salt

Peel the prawns, remove the vein and season with salt. Heat a little olive oil over a low flame in a non-stick frying pan and add the thinly sliced garlic and cook for around 30 seconds without colouring. Add the prawns, fry them lightly, turning them over so they cook evenly. Add the white wine, the coriander and remove from the heat. Squeeze over some lemon juice and check the seasoning, adding a little more salt if necessary. Serve immediately.

CANTINHO DO AVILLEZ
CANTINHO DO AVILLEZ

Quente e frio de cogumelos e foie gras

4 Pessoas

Ingredientes:

500 g de cogumelos Paris
500 ml de água
100 ml de natas
80 g de cebola
3 dentes de alho
Sal q.b.
Pimenta q.b.

FOIE GRAS:
100 g de *foie gras*
200 ml de caldo de aves
Vinho do Porto branco q.b.
Flor de sal q.b.
Pimenta q.b.

CRUMBLE DE PÃO:
50 g de miolo de pão alentejano
Óleo para fritar q.b.

Triture o miolo de pão alentejano e frite-o em óleo quente. Escorra bem e reserve em local fresco (pode usar durante 3 dias para outras preparações). Num tacho, num fio de azeite, refogue a cebola e o alho sem deixar ganhar cor. Numa frigideira antiaderente, num fio de azeite quente, salteie os cogumelos laminados. Deixe dourar e junte ao refogado de cebola e alho.

Cubra os cogumelos com água e leve ao lume para levantar fervura. Deixe cozer destapado, em lume brando, cerca de 45 minutos. Escorra os cogumelos e reserve o caldo da cozedura. Triture os cogumelos acrescentando o caldo da cozedura, pouco a pouco, até obter um creme. Tempere com sal e pimenta.

Quando o creme estiver à temperatura ambiente, junte as natas e reserve no frio.

Corte o *foie gras* em pedaços e tempere com flor de sal, pimenta e um pouco de vinho do Porto branco. Deixe marinar durante, pelo menos, 15 minutos.

Aqueça o caldo de aves até levantar fervura. Junte o *foie gras* e deixe cozer durante 15 segundos. Triture, coe com a ajuda de um passador, coloque num sifão com duas cargas de gás e arrefeça em água e gelo ou reserve de um dia para o outro no frio. (Se não tiver um sifão, mesmo antes de servir, emulsione o creme de *foie gras* com uma varinha mágica de forma a obter uma espuma.) Sirva o creme de cogumelos quente com a espuma de *foie gras*. Finalize com o *crumble* de pão frito e sirva de imediato.

«Hot and cold» mushrooms and foie gras

Serves 4

Ingredients:
500 g Paris mushrooms
500 ml water
100 ml cream
80 g onion
3 garlic cloves
Salt
Pepper

FOIE GRAS:
100 g foie gras
200 ml poultry stock
White port
Salt flower
Pepper

BREAD CRUMBLE:
50 g Alentejano (rustic) bread
without crusts
Oil for frying

Put the Alentejano (rustic) bread through a food processer, fry in hot oil, drain and reserve in a cool place (can be used for up to three days). In a pan, fry the onion and garlic in a little olive oil without letting them brown. Sauté the sliced mushrooms in olive oil in a non-stick frying pan. Brown and add to the onion and garlic.

Cover the mushrooms with water and bring to the boil. Leave to boil uncovered, over a low heat, for around 45 minutes. Drain the mushrooms and reserve the stock. Blend the mushrooms while adding the stock, little by little, until you get a creamy mixture. Season with salt and pepper.

When the mixture is at room temperature, add the cream and refrigerate.

Cut the foie gras into pieces and season with salt flower, pepper and a little white port. Leave to marinate for at least 15 minutes.

Heat the poultry stock until it starts to boil. Add the foie gras and let it cook for 15 seconds. Blend, drain and, with the help of a strainer, put in a syphon with two gas cartridges and cool in iced water or refrigerate overnight. (If you do not have a syphon, just before serving, use a hand blender on the foie gras cream to create foam.) Serve the mushroom cream hot with foie gras. Garnish with fried bread crumble and serve immediately.

Farinheira com crosta de broa e coentros

4 Pessoas

Ingredientes:

2 farinheiras
100 g de broa de milho ralada
10 g de coentros picados

Coloque as farinheiras num tacho, acrescente água fria até tapar, leve ao lume e deixe levantar fervura. Ferva as farinheiras durante 3 minutos. Desligue o lume e tape durante 10 minutos. Retire a tripa às farinheiras e coloque o interior num recipiente de ir ao forno. Reserve. Misture os coentros picados com a broa de milho ralada.

Tape a farinheira com o preparado de broa. Antes de servir, leve ao forno aquecido a 170°C até ficar crocante. Sirva de imediato.

Farinheira sausage with coriander and *broa* cornbread

Serves 4

Ingredients:

2 *farinheira* sausages
100 g *broa* breadcrumbs
10 g chopped coriander

Put the *farinheiras* in a saucepan, cover with cold water and bring to the boil. Leave boiling for 3 minutes. Turn off the heat and cover for 10 minutes. Remove the skin of the *farinheiras* and place in an oven-proof dish. Reserve. Mix the chopped coriander and the *broa* breadcrumbs.

Cover the *farinheira* with the breadcrumb mix and place in the oven (170°C) until crisp. Serve immediately.

Queijo de Nisa no forno com presunto e mel de rosmaninho

4 Pessoas

Ingredientes:

2 queijos de Nisa com 90 g, cada
20 g de presunto Pata Negra
6 pingos de óleo de trufa branca
4 g de mel de rosmaninho

Corte o topo dos queijos. Aqueça o forno a 170°C e leve os queijos a assar durante 4 a 5 minutos. Seguidamente, retire-os do forno e coloque-os num prato. Finalize colocando, por cima de cada queijo, um pouco de presunto Pata Negra cortado em juliana fina, um fio de mel de rosmaninho e 3 gotas de óleo de trufa. Sirva de imediato.

Baked Nisa cheese with cured ham and rosemary honey

Serves 4

Ingredients:

2 Nisa cheeses (90 gr each)
20 g *Pata Negra* cured ham
6 drops of white truffle oil
4 g rosemary honey

Cut the top off the cheeses. Pre-heat the oven to 170°C and then bake the cheeses for 4 to 5 minutes. Remove from the oven and transfer to a plate. Top each cheese with some finely sliced *Pata Negra* ham, a drizzle of rosemary honey and 3 drops of truffle oil. Serve immediately.

STAUB
Herdade das Servas
ADEGA
BORBA

«Crumble» de morcela da Guarda e maçã

4 Pessoas

Ingredientes:

1 morcela com 200 g ou 250 g
200 g de miolo de pão alentejano triturado
3 maçãs reinetas
3 paus de canela
15 g de açúcar mascavado

Retire o caroço às maçãs reinetas, mas mantenha-as inteiras e com pele. Passe as maçãs para um tabuleiro de forno e, no centro de cada uma, coloque um pau de canela e 5 g de açúcar mascavado. Asse-as no forno aquecido a 140°C, durante 40 minutos ou até estarem bem tenras (o tempo vai variar consoante estejam mais verdes ou mais maduras). Retire os paus de canela e a pele das maçãs. Triture e reserve o puré.

Coloque a morcela num tacho, acrescente água fria e deixe cozer durante 10 minutos após levantar fervura. Retire a pele à morcela e envolva o seu interior com o miolo de pão alentejano triturado.

Num recipiente de ir ao forno, coloque o puré de maçã já frio e por cima a morcela envolvida com o pão. Leve ao forno aquecido a 180°C para ganhar cor. Sirva quente.

Regional black pudding and apple crumble

Serves 4

Ingredients:

1 black pudding (200 g - 250 g)
200 g Alentejano (rustic) bread without crusts put through a blender
3 cooking apples
3 cinnamon sticks
15 g muscovado sugar

Remove the cores from the cooking apples without cutting or peeling them. Transfer the apples to a baking tray and place a cinnamon stick and 5g of muscovado sugar in the middle of each. Bake at 140°C for 40 minutes or until soft (the time will vary depending on how ripe they are). Remove the cinnamon sticks and apple peel. Blend into a purée.

Place the black pudding in a pan with cold water. Bring to the boil and leave to simmer for 10 minutes. Remove the skin from the black pudding and coat the filling with the breadcrumbs.

Place the cold apple purée and the bread-crumbed black pudding in an oven-proof dish. Bake at 180°C until golden. Serve hot.

STAUB

José
Vicente Neto

Fígados de aves salteados com uvas e Porto

4 Pessoas

Ingredientes:

FÍGADOS:
400 g de fígados de galinha arranjados
12 uvas pretas
1 fio de azeite
2 dentes de alho
1 ramo de tomilho
75 ml de vinho do Porto
Redução de vinho do Porto q.b.
Sal marinho q.b.
Flor de sal q.b.

REDUÇÃO DE VINHO DO PORTO:
250 ml de vinho do Porto
1 colher de sopa de açúcar

Prepare a redução de vinho do Porto levando ao lume o vinho do Porto e o açúcar. Deixe reduzir lentamente até chegar ao ponto de fio. Reserve.

Limpe bem os fígados de todos os nervos e peles e lave-os em água com gelo. Seque-os bem em papel de cozinha e reserve no frio até usar.

Corte as uvas ao meio, retire as grainhas e reserve.

Aqueça o azeite com o alho e o tomilho. Junte os fígados e, sem os mexer, deixe que corem. Vire os fígados, tempere com sal marinho e deixe que corem do outro lado. Junte as uvas cortadas ao meio e o vinho do Porto, pouco a pouco. Deixe reduzir um pouco e retifique os temperos. Finalize com um pouco de redução de vinho do Porto e flor de sal. Sirva de imediato.

Sautéed poultry livers with grapes and port

Serves 4

Ingredients:

LIVERS:
400 g prepared chicken livers
12 red grapes
A drizzle of olive oil
2 garlic cloves
1 sprig of thyme
75 ml port
Port reduction
Sea salt
Salt flower

PORT REDUCTION:
250 ml port
1 tablespoon of sugar

Prepare the port reduction by heating the wine and sugar. Leave to reduce slowly until it reaches firm ball stage. Reserve.

Remove all the nerves and skin from the livers and wash them in iced water. Dry well using kitchen roll and keep cool until use.

Cut the grapes in half, remove the pips and reserve.

Heat the olive oil with the garlic and thyme. Add the livers and let them brown without stirring. Turn the livers over, season with sea salt and leave them to brown on the other side. Add the halved grapes and gradually pour in the port wine. Reduce a little and check the seasoning. Top with a little port reduction and salt flower. Serve immediately.

Camarões salteados com alho, malagueta, coentros e erva-príncipe

4 Pessoas

Ingredientes:

20 unidades de camarão limpo 40/50
1 dl de azeite
25 g de alho laminado
30 g de erva-príncipe
4 gomos de lima
20 g de gengibre
10 g de coentros em juliana
10 g de malagueta laminada sem sementes
Flor de sal q.b.

Aqueça o azeite com o alho, a erva-príncipe, três gomos de lima e o gengibre. Quando o azeite estiver quente, junte o camarão, mas não deixe fritar. Tempere com flor de sal, malagueta laminada, sumo de um gomo de lima e coentros cortados em juliana.

Deixe cozinhar mais um pouco e sirva de imediato.

Sautéed prawns with garlic, chili, coriander and lemon grass

Serves 4

Ingredients:

20 clean prawns (40/50)
1 dl olive oil
25 g finely sliced garlic
30 g lemongrass
4 lime segments
20 g ginger
10 g coriander cut into strips
10 g seeded chillies, finely sliced
Salt flower

Heat the olive oil with the garlic, lemon grass, three lime segments and the ginger. When the oil is hot, add the prawns, but do not fry. Season with salt flower, sliced chilies, the juice of one lime segment and finely sliced coriander.

Cook for just a little longer and serve immediately.

STAUB
STAUB

PREÇO KG.
EURO
€ 0,80
PVP
PREÇO KG.
EURO
€ 1,80
PVP

PREGOS
(STEAK SANDWICHES)

STAUB

Prego tradicional

1 Pessoa

Ingredientes:

1 pão de água
100 g de lombo de novilho
40 ml de molho de carne
1 dente de alho laminado
1 colher de sopa de manteiga
Mostarda q.b. (opcional)
Fio de azeite q.b.
Sal q.b.
Flor de sal q.b.

MOLHO DE CARNE:
300 g de aparas de lombo, vazia ou alcatra
1 litro de água
50 g de alho
50 g de cebola
50 g de alho-francês
1 raminho de tomilho
50 g de manteiga
1 fio de azeite
Sal q.b.

Para preparar o molho de carne, caramelize, num tacho de ferro, as aparas de carne cortadas em cubos num fio de azeite quente. Junte os aromáticos (o alho, a cebola, o alho-francês e o raminho de tomilho) e deixe caramelizar um pouco mais. Junte a manteiga, deixe caramelizar e escorra a gordura. Cubra com água e deixe ferver, em lume brando, durante 45 minutos. Coe com um passador de rede e leve o caldo de novo ao lume para reduzir. Corrija os temperos com sal e reserve.

Abra o pão ao meio no sentido longitudinal e torre-o no forno aquecido a 160°C durante 3 a 5 minutos. Bata um pouco o bife e tempere-o com sal (tempere a carne sempre no minuto em que a vai cozinhar). Numa frigideira de ferro, num fio de azeite bem quente, marque a carne dos dois lados até ficar no ponto pretendido. Retire a carne e reserve. Na frigideira onde preparou a carne, coloque o dente de alho laminado e uma noz de manteiga. Junte o molho de carne e deixe reduzir um pouco. Molhe a parte de dentro do pão no molho, coloque o bife sobre uma das metades do pão, acrescente um pouco mais de molho e finalize com flor de sal. Tape com a outra metade do pão e sirva de imediato. Se gostar, acrescente um pouco de mostarda.

Traditional

Serves 1

Ingredients:
1 *pão de água* bread roll
100 g beef fillet
40 ml meat sauce
1 finely sliced garlic clove
1 tablespoon of butter
Mustard (optional)
Drizzle of olive oil
Salt
Salt flower

MEAT SAUCE:
300 g fillet, sirloin or rump trimmings
1 litre of water
50 g garlic
50 g onion
50 g leeks
1 thyme sprig
50 g butter
A drizzle of olive oil
Salt

To prepare the sauce, brown the diced meat trimmings in a a cast-iron pan in a drizzle of hot olive oil. Add the garlic, onion, leek and thyme and brown a little more. Add the butter, leave to brown and drain off the fat. Cover with water, bring to the boil and simmer for 45 minutes. Strain through a sieve and reheat the stock to reduce. Adjust the seasoning and reserve.

Slice the bread roll lengthwise and toast it in the oven (160°C) for 3 to 5 minutes. Pound the steak slightly and season with salt (always season the meat when it is about to be cooked). Sear the meat on both sides in an cast-iron frying pan with a drizzle of hot olive oil for as long as required. Remove the meat and reserve. In the same frying-pan, place the sliced garlic clove and a knob of butter. Add the sauce and reduce a little. Dip the inside of the bread in the sauce and sprinkle with salt flower. Cover with the other half of the bread and serve immediately. If you like, you can add a bit of mustard.

STAUB

Prego MX-LX

4 Pessoas

Ingredientes:

400 g de bife do lombo ou da vazia
60 g de cebola roxa cortada em juliana
1 malagueta grande cortada em juliana fina
40 folhas de coentros
Guacamole q.b. (página 40)
Gomos de lima q.b.

TORTILHAS:
225 g de farinha sem fermento
150 ml de água
35 g de manteiga sem sal
Farinha para polvilhar q.b.
Sal q.b.
Pimenta-preta q.b.

Comece por preparar as tortilhas. Num tacho, aqueça a água, junte a manteiga e deixe derreter. Numa taça grande, coloque a farinha, o sal, a pimenta e misture bem. Faça uma cova no centro da farinha e junte cerca de dois terços da água com a manteiga derretida. Com as mãos, envolva a farinha e a água (com cuidado para não se queimar).

Junte o último terço de água e envolva novamente. Polvilhe a bancada com um pouco de farinha e trabalhe a massa um pouco mais (atenção: não amasse demasiado para que a massa não fique dura). Forme uma bola, passe para uma taça e tape com um pano. Deixe a massa descansar durante, pelo menos, 30 minutos (se possível, deixe descansar um pouco mais). Retire pequenas porções de massa e, com as mãos, molde pequenas bolas. Pressione as bolas de massa em cima da bancada polvilhada com farinha e use o rolo para obter círculos bem finos com o diâmetro da frigideira que vai usar (não se preocupe demasiado com a forma, depois de cozidas poderá aparar as tortilhas com uma tesoura). Enquanto molda a massa, poderá ser necessário polvilhá-la com um pouco mais de farinha. Coloque um círculo de massa numa frigideira antiaderente, sem juntar qualquer gordura. Marque a tortilha dos dois lados, mas não deixe cozer demasiado. Logo que esteja pronta, coloque-a dentro de um saco de plástico para manter a humidade e evitar que fique dura. Prepare as restantes tortilhas e reserve-as no saco.

Tempere a carne com um pouco de sal. Numa frigideira, num fio de azeite quente, marque a carne dos dois lados e deixe caramelizar bem por fora. O interior deverá ficar mal passado. Tempere a carne com um pouco de pimenta-preta, retire da frigideira e deixe descansar.

Coloque a cebola roxa, a malagueta, os gomos de lima, as folhas de coentros e o guacamole em taças separadas. Corte a carne em tiras. Por cima de cada tortilha, coloque algumas tiras de carne, um pouco de guacamole, um pouco de malagueta, um pouco de cebola roxa, algumas folhas de coentros, algumas gotas de sumo de lima e um pouco mais de guacamole. Se preferir, coloque tudo na mesa para que cada um possa preparar a tortilha a seu gosto.

MX-LX

Serves 4

Ingredients:

400 g beef fillet or sirloin
60 g red onion in strips
1 large chili cut into fine strips
40 coriander leaves
Guacamole to taste (page 41)
Lime segments

TORTILLAS:
225 g plain flour
150 ml water
35 g unsalted butter
Flour for dusting
Salt
Black pepper

Start by preparing the tortillas. In a pan, heat the water, add the butter and melt. Place the flour, salt and pepper in a large bowl and mix well. Make a hole in the middle of the flour and add about two-thirds of the water with the melted butter. Using your hands, mix together the flour and water (taking care not to burn yourself).

Add the last third of the water and mix again. Sprinkle flour onto the work surface and work the dough a little more (N.B. do not overwork the dough or it will harden). Shape the dough into a ball, place in a bowl and cover with a cloth. Leave to rest for at least 30 minutes (more if possible). Remove small portions of dough and roll into small balls with your hands. Press the dough balls onto the floured work surface and use a rolling-pin to obtain thin circles with the same diameter as the frying-pan you are going to use (don't worry too much about the shape - once they're cooked, you can trim the tortillas with scissors). As you roll the dough, you may need to sprinkle it with a little more flour. Place a circle of dough in a non-stick frying-pan without any fat. Brown the tortilla on both sides, but do not overcook. As soon as the tortilla is ready, place it in a plastic bag to prevent drying and hardening. Prepare the remaining tortilla ingredients and set them aside in the bag.

Season the meat with a little salt. Sear the meat on both sides in a frying-pan with a drizzle of olive oil, and leave to brown well on the outside. The inside of the steak should be rare. Season the meat with a little black pepper, remove from the frying-pan and leave to rest.

Place the red onion, chili, lime segments, coriander leaves and guacamole in individual bowls. Cut the meat into strips. On each tortilla, place some strips of meat, a little guacamole, some chili, a little red onion, some coriander leaves, a few drops of lime juice and some more guacamole. If you prefer, put everything on the table so that each person can prepare their own tortilla according to taste.

Prego à «Convento de Alcântara»

1 Pessoa

Ingredientes:

1 pão de água
120 g de lombo de novilho
30 g de *foie gras*
5 g de pasta de trufa preta (de boa qualidade)
80 g de molho de carne (página 68)
1 noz de manteiga
1 dente de alho
1 raminho de tomilho
1 fio de azeite
Sal q.b.
Flor de sal q.b.

Tempere o bife com sal. Numa frigideira de ferro, com um fio de azeite bem quente, marque a carne dos dois lados. Retire a carne e reserve em local quente (55°C). Na frigideira onde preparou a carne, coloque o dente de alho laminado e uma noz de manteiga. Junte o molho de carne e deixe reduzir um pouco. Junte a pasta de trufa, envolva bem e reserve.

Numa frigideira antiaderente, sem juntar qualquer gordura, salteie o *foie gras* dos dois lados apenas temperado com sal. Abra o pão ao meio no sentido longitudinal e leve a tostar ligeiramente no forno aquecido a 160°C durante 3 a 5 minutos. Molhe a parte de dentro do pão no molho, coloque o bife por cima de uma das metades do pão, acrescente um pouco mais de molho, coloque o *foie gras* por cima com um pouco de flor de sal e tape com a outra metade do pão. Sirva de imediato.

Alcântara Convent

Serves 1

Ingredients:

1 *pão de água* bread roll
120 g beef fillet
30 g *foie gras*
5 g Black truffle patê (good quality)
80 g meat sauce (page 69)
1 knob of butter
1 garlic clove
1 sprig of thyme
A drizzle of olive oil
Salt
Salt flower

Season the steak with salt. Sear the meat on both sides in a frying-pan with a drizzle of olive oil. Remove the meat and keep warm (55°C). In the same frying-pan, place the sliced garlic clove and a knob of butter. Add the meat sauce and reduce a little. Add the truffle paste, mix well and set aside.

In a non-stick frying-pan, without adding any oil or fat, sauté the *foie gras* on both sides, seasoning only with salt. Cut the bread roll lengthwise down the middle and toast it lightly in the oven (160°C) for 3 to 5 minutes. Dip the inside of the bread in the sauce, place the steak on one side of the bread, add a little more sauce, place the *foie gras* on top with a little salt flower and cover with the other half of the bread. Serve immediately.

PRATOS (DISHES)

CANTINHO
DO
AVILLEZ
CANTINHO
DO
AVILLEZ

Salada de raia

4 Pessoas

Ingredientes:

400 g de filetes de raia
500 g de batata cozida cortada em pequenos cubos
200 g de alface Ibérica
100 g de cebola laminada
20 g de vinagre de framboesa
1 folha de louro
Cravinho q.b.
Azeite q.b.
Sal q.b.

EMULSÃO DE ALCAPARRAS:
360 g de maionese
1 ovo cozido picado
20 g de chalota picada
40 g de azeitonas galegas picadas
20 g de alcaparras picadas
10 g de mostarda Dijon
10 ml de vinagre de vinho tinto
40 ml de azeite
Sal q.b.

Numa frigideira antiaderente, num fio de azeite, cozinhe rapidamente os filetes de raia. Deixe arrefecer e reserve.

Num tacho, aqueça um fio de azeite generoso e junte a cebola, a folha de louro e o cravinho. Quando a cebola começar a ficar translúcida, acrescente o vinagre de framboesa e deixe cozinhar lentamente até a cebola ficar tenra. Corrija os temperos, deixe arrefecer e reserve.

Para preparar a emulsão de alcaparras, misture bem todos os ingredientes, excepto o azeite, com a ajuda de umas varas pequenas. Acrescente o azeite, pouco e pouco, mexendo sempre com umas varas pequenas. Corrija os temperos com sal e reserve no frio.

Pouco antes de servir, retire o cravinho e a folha de louro do escabeche de cebola. Numa taça, coloque as batatas cozidas cortadas em pequenos cubos, o escabeche de cebola, os filetes de raia cortados em pequenos pedaços e tempere com parte do molho. Por fim, acrescente a alface e envolva com cuidado. Sirva de imediato.

Skate wing salad

Serves 4

Ingredients:

400 g skate fillets
500 g boiled potatoes, diced
200 g lettuce
100 g finely sliced onion
20 g raspberry vinegar
1 bay leaf
Cloves
Olive oil
Salt

CAPER EMULSION:
360 g mayonnaise
1 boiled egg, chopped
20 g chopped shallot
40 g chopped galega olives,
20 g chopped capers
10 g Dijon mustard
10 ml red wine vinegar
40 ml olive oil
Salt

Quickly cook the skate fillets in a non-stick frying-pan with a little olive oil. Allow to cool and reserve.

Heat a generous drizzle of olive oil in a pan and add the onion, bay leaf and clove. When the onion starts to turn transparent, add the raspberry vinegar and cook slowly until the onion softens. Adjust seasoning, allow to cool and reserve.

To prepare the caper emulsion, whisk together all the ingredients, except the olive oil. Slowly pour in the olive oil, whisking constantly. Adjust the seasoning and place in the fridge.

Shortly before serving, remove the clove and bay leaf from the onion escabeche. Place the diced boiled potatoes, onion escabeche and chopped skate fillets in a bowl and season with part of the sauce. Finally, add the lettuce and mix carefully. Serve immediately.

BACALHAU
GRAUDO
ISLANDIA
11.90 €
Manteigaria Silva
Casa do
PORCO
PRETO

Lascas de bacalhau, «migas soltas», ovo BT e azeitonas explosivas

4 Pessoas

Ingredientes:

BACALHAU:
4 lombos de bacalhau com 120 g cada
Casca de laranja q.b.
Casca de limão q.b.
2 folhas de louro
Alho q.b.
Tomilho q.b.
Pimenta-preta em grão q.b.
Azeite q.b.

«MIGAS SOLTAS»:
120 g de miolo de pão saloio cortado em cubos
350 g de couve-lombarda cortada em pedaços pequenos
120 g de feijão-verde já arranjado
1 dente de alho
Caldo da cozedura do bacalhau q.b.
Azeite q.b.
Sal q.b.
Pimenta q.b.

OVO BT (A BAIXA TEMPERATURA):
4 ovos biológicos grandes
ou, em alternativa,

OVOS ESCALFADOS:
4 ovos biológicos grandes
Flor de sal q.b.
Pimenta-preta no moinho q.b.

AZEITONAS «EXPLOSIVAS»:
1 dl de sumo de azeitona verde (azeitonas verdes, sem caroço, trituradas e coadas e espremidas por um pano)
0,2 g de gluco
0,5 g de goma xantana
30 g de azeite marinado com laranja, limão, alho, tomilho e filtrado (pode filtrar o azeite das Azeitonas Marinadas - página 26)
500 ml de água com baixo teor em cálcio (*Luso* ou *Vitalis*)
2,5 g de alginato

Para preparar as azeitonas «explosivas», junte o sumo de azeitona verde, a goma xantana e o gluco. Triture com a varinha mágica e reserve no frigorífico durante, pelo menos, 12 horas. De seguida, triture 25% da água com o alginato. Acrescente a água restante, misture bem, deite num recipiente transparente e fundo, de vidro de preferência, e deixe descansar no frigorífico, pelo menos, durante 12 horas. Retire a mistura de azeitona e a mistura de alginato do frigorífico 30 minutos antes de prosseguir a preparação. Passados os 30 minutos, encha uma colher própria para o efeito (se não tiver, poderá usar uma colher parisiense) com a mistura de azeitona, aproxime-a da mistura de alginato o mais perto que conseguir (deverá ficar a 1 mm de distância) e vire-a. Espere 30 segundos para que se forme uma bolinha e retire com cuidado com uma colher com furos. Deixe escorrer e passe para uma taça com água. Escorra novamente com cuidado e reserve em azeite.

Lave bem os ovos, esfregue-os com uma escova e coza-os em banho-maria a 63,5°C, durante 45 minutos. Passado esse tempo, retire-os do banho-maria e coloque-os em água com gelo durante 50 minutos. Seque bem os ovos e guarde-os no frigorífico até 20 minutos antes de servir. Nessa altura, retire-os do frigorífico e aqueça-os num banho-maria a 54°C, durante 20 minutos. Se preferir, pode substituir os ovos a baixa temperatura por ovos escalfados. No entanto, deve prepará-los enquanto o bacalhau coze e não logo no início.

Limpe os lombos de bacalhau. Retire as espinhas laterais e a espinha do meio, mas mantenha a pele. Num tacho pequeno, acrescente azeite suficiente para tapar o bacalhau até dois terços e leve ao lume até a temperatura do azeite chegar aos 75°C, aproximadamente. Coloque os lombinhos de bacalhau dentro do azeite e acrescente casca de laranja, casca de limão, alho esmagado, tomilho, duas folhas de louro e pimenta-preta em grão. Deixe o bacalhau cozer devagar, sem levantar a temperatura.

Para preparar os ovos escalfados, aqueça a água até ferver. Depois, junte um copo de água morna para baixar a temperatura para os 82°C. Numa bancada, estenda um quadrado de película aderente. Pincele o quadrado com azeite e coloque a película por cima de uma taça pequena com o lado pincelado com azeite virado para cima. Abra um ovo para o interior da taça e feche as extremidades da película de forma a fazer uma pequena trouxa. Dê um nó o mais perto do ovo possível, tendo o cuidado de retirar o ar. Espete um pau de espetada na zona do nó e coloque a trouxa ao centro. Se o tacho for largo, poderá colocar mais do que uma trouxa em cada pau de espetada (atenção, as trouxas não devem tocar umas nas outras). Coloque o pau de espetada com as trouxas por cima do tacho com água aquecida a 82°C. As trouxas devem ficar cobertas de água, mas não devem tocar no fundo do tacho. Deixe cozer em lume brando cerca de dois minutos e meio. Repita a operação as vezes necessárias para escalfar todos os ovos.

Coza o feijão-verde em água a ferver temperada com sal durante 2 a 3 minutos, após levantar fervura novamente. Logo de seguida, arrefeça-o em água com gelo e sal e seque-o bem. Escalde a couve em água a ferver temperada com sal durante 45 segundos, após levantar fervura novamente. Logo de seguida, arrefeça a couve em água com gelo e sal e seque-a bem. Numa frigideira antiaderente, num fio de azeite quente, frite os cubos de miolo de pão saloio. Reserve. Noutra frigideira, num fio de azeite quente, junte um dente de alho picado e salteie a couve e o feijão-verde. Tempere com sal, pimenta e um pouco de caldo da cozedura do bacalhau. Junte o pão e envolva.

Solte as lascas do bacalhau e retire a pele. Junte ao bacalhau um pouco do azeite da cozedura. Num prato de servir, coloque as «migas soltas», as lascas de bacalhau, um pouco mais do azeite da cozedura e, por fim, os ovos a baixa temperatura ou os ovos escalfados temperados com flor de sal e pimenta e sirva com as azeitonas.

Flakes of salt cod, vegetable stuffing, low-temperature eggs and explosive olives

Serves 4

Ingredients:

COD:
4 loins of cod (120 g each)
Orange peel
Lemon peel
2 bay leaves
Garlic
Thyme
Ground black pepper
Olive oil

STUFFING:
120 g diced rustic bread, without crusts
350 g savoy cabbage, chopped into small pieces
120 g green beans, strung and topped and tailed
1 garlic clove
A little of the water the cod was boiled in
Olive oil
Salt
Pepper

LT EGG (LOW TEMPERATURE):
4 large organic eggs
or, alternatively,

POACHED EGG:
4 large organic eggs
Salt flower
Black pepper

«EXPLOSIVE» OLIVES:
1 dl green olive juice (stoned green olives, blended, strained and squeezed with a cloth.)
0.2 g gluco
0.5 g Xanthan gum
30 g olive oil marinated with orange, lemon, garlic, thyme and filtered (you can filter the olive oil of the Marinated Olives – page 26)
500 ml low-calcium water (Luso or Vitalis)
2.5 g alginate

To prepare the "explosive" olives, combine the green olive juice, Xanthan gum and gluco. Mix with a hand blender and keep in the fridge for at least 12 hours. Then blend 25% of the water with the alginate. Add the remaining water, mix well, pour into a deep, transparent recipient (preferably glass) and keep in the fridge for at least 12 hours. Remove the olive mixture and the alginate mixture from the fridge 30 minutes before continuing the preparation. Then fill a scoop with the olive mixture (if you don't have a specific scoop for this, you can use a melon baller), take it as close to the alginate mixture as possible (it should be 1mm away) and turn over. Wait 30 seconds for it to form a ball and carefully remove with a slotted spoon. Drain and transfer to a bowl of water. Carefully drain again and set aside in olive oil.

Wash the eggs well, brush and boil in bain-marie at 63.5°C for 45 minutes. Remove from the bain-marie. Place them in iced water for 50 minutes. Dry the eggs well and keep in the fridge until 20 minutes prior to serving. Then remove them from the fridge, and heat in bain-marie at 54°C for 20 minutes. If you prefer, you can use poached eggs instead of the low-temperature eggs. In this case, they will need to be prepared while the cod is cooking and not right at the beginning.

Clean the cod steaks. Remove the side and back bones, but keep the skin on. In a small pan, add enough olive oil to cover the cod about two-thirds of the way up and heat until the olive oil reaches a temperature of about 75°C. Place the cod steaks in the olive oil and add the orange and lemon peel, crushed garlic, thyme, two bay leaves and black pepper corns. Allow the cod to cook slowly, without raising the temperature.

To prepare the poached eggs, bring the water to a boil. Then add a glass of warm water to lower the temperature to 82°C. Extend a square of cling film onto a work surface. Brush the square with olive oil and place the film on a small bowl with the side brushed with olive oil facing up. Crack an egg into the bowl and seal the edges of the film to form a small parcel. Knot it as close to the egg as possible, carefully removing the air. Put a skewer in the knot and place the parcel in the middle. If you are using a wide pan, you can put more than one parcel on each skewer (N.B. the parcels should not be touching each other). Place the skewer with the parcels over the pan of water heated to 82°C. The parcels must be covered with water but should not touch the bottom of the pan. Cook over a low heat for about two-and-a-half minutes. Repeat the operation as many times as necessary to poach all the eggs.

Cook the green beans in boiling water seasoned with salt for 2 or 3 minutes after returning to the boil. Then cool them in salted iced water and dry well. Scald the cabbage in salted boiling water for 45 seconds, then bring to the boil again. Immediately cool the cabbage in iced salted water and dry it well. In a non-stick pan, fry the diced crusty bread in a little olive oil. Set aside. In another frying-pan, sauté the cabbage and green beans in a drizzle of olive oil with a chopped clove of garlic. Season with salt, pepper and a little of the water used for cooking the cod. Stir in the bread.

Separate the flakes of cod and remove the skin. Pour over a little of the olive oil from the cooking. Place the vegetable stuffing, flakes of cod, a little more of the olive oil from the cooking and finally the low-temperature or poached eggs seasoned with salt flower and pepper on a serving dish with olives.

COSTA
NOVA

Risotto de espumante com açafrão e camarão

4 Pessoas

Ingredientes:
300 g de arroz carnaroli
20 unidades de camarão salteado
4 dl de espumante
2 colheres de sopa de cebola picada
2 colheres de café de alho picado
6 filamentos de açafrão
Caldo de camarão q.b.
50 g de manteiga
Rúcula q.b.
Azeite q.b.
Sal q.b.
Pimenta q.b.

CAMARÃO SALTEADO:
20 unidades de camarão limpo 40/60
30 g de alho laminado
Azeite q.b.
Flor de sal q.b.
Pimenta q.b.

Aqueça o caldo de camarão, deixe levantar fervura, junte o açafrão e reserve quente.

Num tacho, num fio de azeite, refogue a cebola picada sem deixar alourar.

Assim que a cebola estiver translúcida, junte o arroz, envolva bem no azeite e refresque com $^3/_4$ do espumante. Deixe evaporar o espumante e junte um pouco de caldo de camarão com açafrão bem quente. Logo que o arroz absorva o caldo, junte um pouco mais de caldo bem quente. Repita a operação até o arroz estar cozido e sem nunca parar de mexer. Quando o *risotto* estiver pronto, retire-o do lume e acrescente a manteiga e o espumante que restou. Corrija os temperos e passe para um prato fundo. Finalize com os camarões salteados e um pouco de rúcula.

Para preparar os camarões salteados, numa frigideira antiaderente, aqueça um pouco de azeite e o alho. Quando o azeite estiver quente, junte o camarão mas não deixe fritar. Tempere com flor de sal e pimenta. Deixe cozinhar mais um pouco e reserve.

Sirva de imediato.

Sparkling wine risotto with saffron and prawn

Serves 4

Ingredients:
300 g carnaroli rice
20 sautéed prawns
4 dl sparkling wine
2 tablespoons of chopped onion
2 coffee spoons of chopped garlic
6 saffron strands
Prawn stock
50 g butter
Rocket
Olive oil
Salt
Pepper

SAUTÉED PRAWNS:
20 clean prawns (40/60)
30 g finely sliced garlic
Olive oil
Salt flower
Pepper

Bring the prawn stock to the boil, add the saffron and keep warm.

In a pan with a little olive oil, fry the chopped onion without letting it brown.

As soon as the onion is translucent, add the rice, stir well into the olive oil and refresh with $^{3}/_{4}$ of the sparkling wine. Let the sparkling wine evaporate and add a little of the hot prawn stock with saffron. As soon as the rice has absorbed the stock, add a little more. Repeat this operation until the rice is cooked, stirring constantly. When the risotto is ready, remove from the heat and add the butter and the rest of the sparkling wine. Adjust the seasoning and transfer to a deep dish. Top with the sautéed prawns and some rocket.

To prepare the sautéed prawns, heat a little olive oil and the garlic in a non-stick frying-pan. When the olive oil is hot, add the prawns but do not allow to fry. Season with salt flower and pepper. Cook a little more and set aside.

Serve immediately.

STAUB
STAUB

Vieiras na frigideira com cogumelos e batata-doce de Aljezur

4 Pessoas

Ingredientes:

BATATA-DOCE DE ALJEZUR:
400 g de batata-doce
40 g de sal grosso

TOMATE-CEREJA CONFITADO:
20 unidades de tomate-cereja
300 ml de azeite
1 raminho de tomilho
2 grãos de pimenta-preta

ESPARGOS VERDES:
8 espargos verdes
10 g de sal marinho
500 ml de água
1 dente de alho
Tomilho q.b.
Azeite q.b.

REDUÇÃO DE VINAGRE BALSÂMICO:
125 ml de vinagre balsâmico

VIEIRAS:
12 vieiras sem coral
1 litro de água
20 g de sal marinho
Sal fino q.b.

FINALIZAÇÃO:
Vieiras
Batata-doce de Aljezur
Tomate-cereja confitado
Espargos verdes
Redução de vinagre balsâmico
4 folhas de manjericão
Azeite q.b.
Flor de sal q.b.

Comece por preparar o tomate-cereja confitado: coloque todos os ingredientes num tabuleiro de ir ao forno e deixe confitar no forno aquecido a 90°C durante 30 minutos. Enquanto espera, arranje os espargos. Descasque-os ligeiramente, retire 3 cm do pé e separe a cabeça dos talos para que possam ser bringidos com tempos diferentes. Brinja as cabeças durante um minuto e meio e os talos durante dois minutos. Arrefeça rapidamente em água gelada temperada com sal, escorra bem e deixe secar. Reserve.

Coloque as batatas-doces num tabuleiro e salpique-as com o sal. Asse as batatas no forno aquecido a 120°C, durante 20/30 minutos, aproximadamente. Deixe arrefecer um pouco e retire a casca. Corte as batatas-doces em fatias de 1 cm de espessura e reserve.

Para preparar a redução de vinagre balsâmico, coloque o vinagre balsâmico num pequeno tacho e deixe reduzir cerca de 90% do seu volume sempre em lume brando. Reserve.

Coloque as vieiras numa salmoura (20 g de sal marinho para 1 litro de água) durante 30 minutos. Seque as vieiras, remova o músculo e tempere-as com sal fino.

Numa frigideira, em azeite bem quente, salteie os espargos juntamente com um dente de alho esmagado e um raminho de tomilho. Noutra frigideira, marque as fatias de batata-doce numa frigideira em azeite bem quente. Por fim, aqueça bem um fio de azeite e salteie as vieiras de ambos os lados.

Para servir, coloque as batatas-doces, os tomates-cereja e as vieiras. Acrescente os espargos sobre as vieiras. Finalize com a redução de vinagre balsâmico, folhas de manjericão e um pouco de flor de sal.

Pan-fried scallops with mushrooms and sweet potato from Aljezur

Serves 4

Ingredients:

ALJEZUR SWEET POTATO:
400 g sweet potato
40 g rock salt

CHERRY TOMATO CONFIT:
20 cherry tomatoes
300 ml olive oil
1 sprig of thyme
2 black peppercorns

GREEN ASPARAGUS:
8 green asparagus
10 g sea salt
500 ml water
1 garlic clove
Thyme
Olive oil

BALSAMIC VINEGAR REDUCTION:
125 ml balsamic vinegar

SCALLOPS:
12 scallop (coral removed)
1 litre of water
20 g sea salt
Fine-grain salt

PLATING:
Scallops
Aljezur sweet potato
Cherry tomato confit
Green asparagus
Balsamic vinegar reduction
4 basil leaves
Olive oil
Salt flower

Start by preparing the cherry tomato confit: place all the ingredients on an oven tray and roast at 90°C for 30 minutes. In the meantime, prepare the asparagus. Peel slightly, remove 3 cm of the base and separate the tip from the stems so that they can be blanched at different stages. Blanch the tips for a minute and a half and the stems for two minutes. Cool quickly in salted iced water, drain well and leave to dry. Reserve.

Place the sweet potatoes on a tray and sprinkle with salt. Roast the potatoes in a pre-heated oven at 120°C for about 20/30 minutes. Allow to cool a little and remove the skin. Cut the sweet potatoes into 1 cm slices and reserve.

To prepare the balsamic vinegar reduction, place the balsamic vinegar in a small pan and reduce to about 90 % of its volume over a low heat. Reserve.

Place the scallops in brine (20 g of sea salt to 1 litre of water) for 30 minutes. Dry the scallops, remove the muscle and season with fine-grain salt.

Sauté the asparagus with a crushed garlic clove and a sprig of thyme in a frying-pan with hot olive oil. In another frying-pan, fry the sweet potato in hot olive oil. Finally, heat a drizzle of olive oil and sauté the scallops on both sides.

Serve the sweet potatoes, the cherry tomatoes and the scallops in a small cast-iron pan. Add the asparagus over the scallops. Top with the balsamic vinegar reduction, basil leaves and a little salt flower.

Atum grelhado com legumes e emulsão de soja e gengibre

4 Pessoas

Ingredientes:

ATUM:
600 g de lombo de atum limpo
100 g de cebola roxa em gomos
60 g de ervilha de quebrar
100 g de cenoura
100 g de curgete
(só a parte verde de fora)
40 g de alho-francês em juliana
(só a parte branca)
3 dentes de alho
2 ramos de tomilho
Sal q.b.
Azeite q.b.
Pimenta q.b.
Flor de sal q.b.

PASTA DE MISO:
20 g de *saké*
200 g de *miso*
10 g de açúcar

EMULSÃO DE SOJA:
35 ml de sumo de gengibre
35 ml de molho de soja
200 g de azeite

Comece por preparar a pasta de *miso* juntando o *miso*, o *saké* e o açúcar. Reserve.

Para preparar a emulsão de soja, junte o sumo de gengibre com o molho de soja e emulsione juntando o azeite pouco a pouco. Reserve.

Marque o atum num grelhador de ambos os lados, retire e deixe arrefecer ligeiramente. Corte o atum em fatias de 1 cm e reserve em local quente.

Salteie os legumes, começando pela cebola, em azeite, alho e tomilho e tempere com sal e pimenta. Junte a cenoura e deixe saltear mais um pouco. Acrescente a curgete, deixe saltear e, por fim, junte a ervilha de quebrar. Se necessário, enquanto salteia os legumes, junte um pouco mais de azeite e retifique com sal e pimenta.

Faça um risco com a pasta de *miso* no prato de servir e coloque por cima o atum. Acrescente os legumes. Deite um pouco de emulsão de soja por cima do atum e finalize com o alho-francês cortado em juliana muito fina e um pouco de flor de sal.

Grilled tuna with vegetables and soy and ginger emulsion

Serves 4

Ingredients:

TUNA:
600 g tuna loin
100 g wedges of red onion
60 g mangetout
100 g carrots
100 g courgette (just the green, outer part)
40 g leeks cut into strips (just the white part)
3 garlic cloves
2 sprigs of thyme
Salt
Olive oil
Pepper
Salt flower

MISO PASTE:
20 g sake
200 g miso
10 g sugar

SOY EMULSION:
35 ml ginger juice
35 ml soy sauce
200 g olive oil

Start by preparing the miso paste by combining the miso, sake and sugar. Reserve.

To prepare the soy emulsion, add the ginger juice to the soy sauce and make a paste by slowly adding olive oil. Set aside.

Grill the tuna on both sides, remove and allow to cool slightly. Cut the tuna into 1 cm slices and keep warm.

Starting with the onion, sauté the vegetables in olive oil, garlic and thyme seasoned with salt and pepper. Add the carrot and sauté a little more. Add the courgette, sauté a little, and finally the mangetout. If necessary, add a little more olive oil to the vegetables as you sauté them and adjust the seasoning.

Streak the miso paste across a serving dish and place the tuna on top. Add the vegetables. Pour a little soy emulsion over the tuna and top with finely sliced leek and a little salt flower.

CANTINHO
DO
AVILLEZ

Risotto de cogumelos portobello com lascas de parmesão

4 Pessoas

Ingredientes:

300 g de arroz carnaroli
200 g de cogumelos *portobello*
1 dl de vinho branco
1 colher de sopa de cebola picada
1 colher de café de alho picado
1 colher de café de salsa picada
Caldo de galinha q.b.
50 g de manteiga
Bacon q.b.
Parmesão ralado no momento q.b.
Lascas de parmesão q.b.
Folhas de manjericão q.b.
Azeite q.b.
Sal q.b.
Pimenta q.b.

Corte os cogumelos ao meio e depois em fatias não muito finas. Salteie os cogumelos numa frigideira antiaderente, num fio de azeite bem quente. Junte um pouco de sal, mais um pouco de azeite e o alho picado. Tempere com um pouco mais de sal, junte a salsa picada, envolva bem e reserve.

Num tacho, num fio de azeite, refogue a cebola picada sem deixar alourar. Assim que a cebola estiver translúcida, junte o arroz, envolva bem no azeite e refresque com o vinho branco. Deixe evaporar o vinho e junte um pouco de caldo de cogumelos bem quente. Logo que o arroz absorva o caldo, junte um pouco mais de caldo bem quente.

Repita a operação até o arroz estar cozido e sem nunca parar de mexer.

Ao fim de 12 minutos de o arroz estar a cozinhar, junte os cogumelos e prossiga a cozedura normalmente.

Numa frigideira antiaderente, sem juntar qualquer gordura, salteie o *bacon* partido em quadradinhos e deixe caramelizar.

Quando o *risotto* estiver pronto, acrescente a manteiga e o parmesão ralado no momento. Envolva bem e tape durante 30 segundos.

Passe para os pratos, acrescente o *bacon* salteado, as lascas de parmesão e as folhas de manjericão. Sirva de imediato.

Portobello mushroom risotto with parmesan shavings

Serves 4

Ingredients:

300 g carnaroli rice
200 g Portobello mushrooms
1 dl white wine
1 tablespoon of chopped onion
1 coffee spoon of chopped garlic
1 coffee spoon of chopped parsley
Chicken stock as necessary
50 g butter
Bacon
Freshly grated parmesan
Parmesan shavings
Basil leaves
Olive oil
Salt
Pepper

Cut the mushrooms in half then into fairly thick slices. Sauté the mushrooms in hot olive oil in a non-stick frying-pan. Add a pinch of salt, a little more olive oil and the chopped garlic. Season with a little more salt, add the chopped parsley, stir well and reserve.

In a pan with some olive oil, fry the onion without letting it brown. As soon as the onion is translucent, add the rice, stir well into the olive oil and refresh with white wine. Let the wine evaporate and add a little of the hot chicken stock.

Repeat the operation until the rice is cooked, stirring constantly.

After 12 minutes, add the mushrooms and cook in the normal way.

Without adding any fat to a non-stick frying-pan, sauté the diced bacon and allow to brown.

As soon as the risotto is ready, add the butter and the grated parmesan. Stir well and cover for 30 seconds.

Transfer to the plates and add the sautéed bacon, parmesan slivers and basil leaves. Serve immediately.

CANTINHO
DO
AVILLEZ

Bife à Cantinho

4 Pessoas

Ingredientes:

4 bifes do lombo com 180 g cada
40 g de presunto Pata Negra
10 g de pasta de alho
200 ml de molho de carne (página 68)
1 colher de sopa de manteiga
Azeite q.b.
Sal q.b.
Grãos de pimenta-preta q.b.

PASTA DE ALHO:
100 g de alho
Azeite q.b.
4 grãos de pimenta-preta
Louro q.b.

Para preparar a pasta de alho, coloque os dentes de alho, sem pele e sem gérmen, num pequeno tacho, cubra com azeite, junte uma folha de louro, os grãos de pimenta e leve a cozer. Quando os alhos estiverem cozidos, retire a folha de louro e os grãos de pimenta e triture. Reserve.

Tempere os bifes com um pouco de sal e marque-os numa frigideira antiaderente num fio de azeite quente. Leve os bifes ao forno aquecido a 180°C durante 5 minutos, aproximadamente, ou mais, se desejar mais bem passados. Enquanto os bifes estão no forno, coloque o molho de carne na frigideira onde marcou os bifes. Deixe aquecer e junte uma colher de sopa de manteiga. Envolva bem a manteiga e reserve o molho quente.

Retire os bifes do forno e espalhe um pouco de pasta de alho por cima de cada um. Coloque os bifes num prato de servir, acrescente os grãos de pimenta-preta, o presunto Pata Negra e, por fim, o molho. Acompanhe com batatas fritas.

Steak à Cantinho

Serves 4

Ingredients:

4 fillet steaks (180g each)
40 g *Pata Negra* cured ham
10 g garlic paste
200 ml meat sauce (page 69)
1 tablespoon of butter
Olive oil
Salt
Black peppercorns

GARLIC PASTE:
100 g garlic
Olive oil to taste
4 black peppercorns
Bay leaves

To prepare the garlic paste, place the peeled and cored garlic cloves in a small pan, cover with olive oil, add a bay leaf and the peppercorns and bring to the boil (or more if you prefer your meat more well-done). Once the garlic is cooked, remove the bay leaf and peppercorns and blend. Reserve.

Season the steaks with a little salt and sear them in a non-stick frying-pan with a drizzle of hot olive oil. Place the steaks in a 180°C oven for about 5 minutes. While the steaks are in the oven, put the meat sauce in the frying-pan where you seared them. Heat the sauce and add a tablespoon of butter. Stir in the butter and reserve the hot sauce.

Remove the steaks from the oven and spread a little paste on each one. Place the steaks on a serving dish, add the black peppercorns, the *Pata Negra* ham and then the sauce. Serve with chips.

Vitela de comer à colher, molho de caril e legumes

4 Pessoas

Ingredientes:

BOCHECHAS DE VITELA:
800 g de bochechas de vitela
100 g de cebola
100 g de alho-francês
Marinada q.b.

MARINADA:
100 ml de vinho branco
8 grãos de pimenta-preta
4 folhas de louro
2 raminhos de tomilho
4 dentes de alho
Azeite q.b.
Sal q.b.

MOLHO DE CARIL:
70 g de pimento encarnado
2 maçãs Granny Smith
2 cebolas
3 dentes de alho
10 g de caril de Madras em pó
7 g de pasta de caril vermelho
30 g de erva-príncipe
200 ml de leite de coco
200 ml de leite
40 g de gengibre fresco
40 g de coentros
Azeite q.b.
Sal q.b.

LEGUMES:
200 g de cenoura cortada em juliana
150 g de curgete cortada em juliana
150 g de cebola roxa cortada em juliana
100 g de ervilha torta
Azeite q.b.
Sal q.b.

SALADA DE CEBOLA ROXA E MAÇÃ GRANNY SMITH:
50 g de cebola roxa cortada em juliana
50 g de maçã Granny Smith, com casca, cortada em palitos finos
Folhas de coentros q.b.
Azeite q.b.
Sumo de limão q.b.

Tempere as bochechas de vitela com grãos de pimenta-preta, louro, tomilho, alho e vinho branco. Reserve no frigorífico e deixe marinar durante 24 horas.

Numa frigideira antiaderente, num fio de azeite quente, marque as bochechas bem escorridas e reserve. Num tacho, num pouco de azeite, refogue a cebola e o alho--francês. Acrescente as bochechas de vitela e um pouco da marinada. Tape e deixe estufar em lume muito brando durante cerca de 3 a 4 horas ou até estarem bem tenras.

Para preparar o molho de caril, refogue, num pouco de azeite, a cebola, o alho, a erva-príncipe, o pimento, a maçã com casca partida em pedaços e dois ou três pedaços de gengibre. Junte o caril de Madras, o caril vermelho, o leite e o leite de coco. Envolva bem e deixe cozer destapado. Quando os legumes e a maçã estiverem cozidos, retire o gengibre e a erva-príncipe, junte os coentros e triture. Retifique os temperos com sal e reserve.

Numa frigideira antiaderente, aqueça um fio de azeite e junte a cebola roxa. Deixe cozinhar cerca de um minuto, aproximadamente, e junte a cenoura e um pouco de sal. Deixe cozinhar mais um pouco, envolva bem e junte a curgete e mais um pouco de sal. Por fim, junte a ervilha de quebrar. Se necessário, acrescente mais um fio de azeite e um pouco mais de sal. Envolva bem.

Numa taça, misture a cebola roxa cortada em juliana fina com os palitos de maçã Granny Smith e algumas folhas de coentros. Tempere com um fio de azeite, algumas gotas de sumo de limão e envolva bem.

Para servir, coloque os legumes no fundo de um prato e por cima as bochechas de vitela. Acrescente o molho de caril à volta das bochechas de vitela e finalize com um pouco de salada de cebola roxa e maçã Granny Smith. Acompanhe com arroz Thai.

Spoon-tender veal, curry sauce and vegetables

Serves 4

Ingredients:

VEAL CHEEKS:
800 g veal cheeks
100 g onions
100 g leeks
Marinade

MARINADE:
100 ml white wine
8 black peppercorns
4 bay leaves
2 sprigs of thyme
4 garlic cloves
Olive oil
Salt

CURRY SAUCE:
70 g red pepper
2 Granny Smith apples
2 onions
3 garlic cloves
10 g Madras curry powder
7 g red curry paste
30 g lemongrass
200 ml coconut milk
200 ml milk
40 g fresh ginger
40 g coriander
Olive oil
Salt

VEGETABLES:
200 g carrot cut into strips
150 g courgette cut into strips
150 g red onion cut into strips
100 g mangetout
Olive oil
Salt

RED ONION AND GRANNY SMITH APPLE SALAD:
50 g red onion cut into strips
50 g Granny Smith apples, with peel, cut into strips
Coriander leaves
Olive oil
Lemon juice

Season the veal cheeks with black peppercorns, bay leaf, thyme, garlic and white wine. Put in the fridge and leave to marinate for 24 hours.

In a non-stick frying-pan with a little hot olive oil, sear the well-drained cheeks and set aside. Fry the onion and leek in a little olive oil. Add the veal cheeks and a little of the marinade. Cover and leave to stew over a low heat for 3 to 4 hours or until really tender.

To prepare the curry sauce, fry the onion, garlic, lemongrass, pepper, unpeeled apple broken into pieces and two or three pieces of ginger in a little olive oil. Add the Madras curry powder, red curry paste, milk and coconut milk. Stir well and cook uncovered. Once the vegetables and apple are cooked, remove the ginger and the lemongrass, add the coriander and blend. Adjust the seasoning and set aside.

In a non-stick frying-pan, heat a little olive oil and add the red onion. Allow to cook for about a minute and add the carrot and a pinch of salt. Cook a little more, stir well and add the courgette and another pinch of salt. Finally, add the mangetout. If necessary, add a little more olive oil and salt. Stir well.

Combine the red onion, the apple and coriander leaves in a bowl. Season with a drizzle of olive oil, a few drops of lemon juice and toss well.

To serve, put the vegetables on the plate with the veal cheeks on top. Pour the curry sauce over the cheeks and finish with a little of the salad. Serve with Thai rice.

STAUB

Hambúrguer de barrosã DOP com cebola caramelizada e foie gras

4 Pessoas

Ingredientes:

800 g de carne Barrosã DOP
4 pães para hambúrguer
120 g de cebolada
40 g de *foie gras*
Molho de carne q.b. (página 68)
Manteiga q.b.
Mostarda Dijon q.b.
Sal q.b.
Sal marinho q.b.

CEBOLADA:
200 g de cebola
1,5 g de alho
1 folha de louro
25 ml de azeite
15 ml de vinagre balsâmico
Sal q.b.

Comece por preparar a cebolada. Numa frigideira antiaderente, aqueça um pouco de azeite e junte a cebola cortada em juliana, o alho e uma folha de louro. Deixe refogar. Quando a cebola estiver cozida, junte o vinagre balsâmico. Deixe evaporar e caramelizar um pouco. Corrija os temperos com sal e reserve.

Molde hambúrgueres com 200 g de carne picada cada e tempere-os com sal marinho. Numa frigideira antiaderente, num fio de azeite bem quente, marque os hambúrgueres de um lado e depois do outro para que fiquem bem corados. Retire da frigideira e leve ao forno 6 minutos a 180°C, ou mais tempo, se desejar mais bem passado.

Na frigideira onde preparou os hambúrgueres, aqueça um pouco de molho de carne e junte uma colher de sopa de manteiga. Envolva bem e reserve o molho quente.

Abra o pão ao meio e torre-o no forno aquecido a 160°C durante 3 minutos, aproximadamente. Aqueça uma frigideira antiaderente e, sem juntar qualquer gordura, salteie o *foie gras* apenas temperado com sal, cerca de 1 minuto de cada lado.

Retire os pães do forno, barre-os com manteiga e depois com mostarda Dijon. Coloque os hambúrgueres dentro dos pães e finalize colocando um escalope de *foie gras*, um pouco de cebolada e um pouco de molho, por cima de cada um. Feche com a outra metade do pão e sirva de imediato com batatas fritas.

Barrosã DOP hamburger with caramellised onion and foie gras

Serves 4

Ingredients:

800 g Barrosã DOP beef
4 hamburger rolls
120 g sautéed onion
40 g *foie gras*
Meat sauce (page 69)
Butter
Dijon mustard
Salt
Sea salt

SAUTÉED ONION:
200 g onions
1.5 g garlic
1 bay leaf
25 ml olive oil
15 ml balsamic vinegar
Salt

Start by preparing the sautéed onion. In a non-stick frying-pan, heat a little olive oil and add the sliced onion, garlic and a bay leaf. Leave to sauté. When the onion is cooked, add the balsamic vinegar. Allow to evaporate and caramelise a little. Adjust the seasoning and set aside.

Shape hamburgers with 200 g of minced meat each and season with sea salt. Sear the hamburgers on both sides with olive oil in a non-stick frying-pan until brown. Remove from the frying-pan and put in a 180°C oven for 6 minutes (or more if you prefer your meat more well-done).

In the same frying-pan, heat a little meat sauce and add a tablespoon of butter. Stir well and reserve the hot sauce.

Slice the bread rolls in half and toast in an oven (160°C) for about 3 minutes. Heat a non-stick frying-pan and, without adding any fat, sauté the *foie gras* seasoned with salt for around a minute either side.

Remove the bread rolls from the oven, spread them with butter and then with Dijon mustard. Place the hamburgers in the bread rolls and top with a scallop of foie gras, a little sautéed onion and some sauce on each one. Cover with the other half of the bread and serve immediately with chips.

STAUB
STAUB
STAUB
STAUB

Tagine de cordeiro, cuscuz de legumes e molho de iogurte

4 Pessoas

Ingredientes:

CORDEIRO:
800 g de perna de cordeiro desossada
250 g de tomate-chucha
100 g de cenoura
150 g de cebola
50 g de alho-francês
Louro q.b.
Água q.b.
Vinho branco q.b.
Azeite q.b.
Pimenta-preta q.b.
Sal q.b.

CUSCUZ DE LEGUMES:
350 g de cuscuz
Água q.b.
100 g de curgete
100 g de beringela
100 g de cogumelos Paris
100 g de cebola roxa
60 g de ameixas pretas secas cortadas
60 g de amêndoas inteiras sem pele e torradas
Azeite q.b.
Sal q.b.
Pimenta q.b.

MOLHO DE IOGURTE:
2 iogurtes naturais (bem escorridos num passador, durante 1 a 2 horas, no frio)
1/2 laranja (sumo e raspa)
1/2 limão (sumo e raspa)
50 g de pepino descascado, sem sementes e cortado em cubos
Cominhos q.b.
Hortelã q.b.
Sal q.b.
Pimenta q.b.

Numa frigideira com azeite quente, marque a perna de cordeiro.

Num tacho, faça um refogado com cebola, tomate, cenoura, alho-francês, louro, pimenta-preta e um pouco de sal. Junte a perna de cordeiro, refresque com um pouco de vinho branco, cubra com água, tape e deixe estufar em lume muito brando durante 3 a 4 horas.

Enquanto o cordeiro está a estufar, prepare o molho de iogurte: Numa taça, envolva os iogurtes bem escorridos com o sumo e raspa (só o vidrado, sem a parte branca) de limão e de laranja. Junte o pepino cortado em cubos e tempere com sal, pimenta, um pouco de cominhos e hortelã picada. Reserve no frio.

Retire a perna de cordeiro do tacho e deixe arrefecer. Com a ajuda de um passador de rede, coe o molho do cordeiro e reserve apenas o caldo. Desfie o cordeiro e por cada 140 g de carne, acrescente 100 ml de caldo. Reserve.

Coloque o cuscuz num tabuleiro ou num prato fundo. Aqueça a água com um pouco de sal, pimenta e um fio de azeite. Quando a água estiver a ferver, deite por cima do cuscuz. A água deverá ficar um dedo acima do cuscuz (na dúvida, siga as instruções da embalagem). Tape o cuscuz com película aderente e espere 5 minutos.

Destape e solte o cuscuz com um garfo.

Sem descascar, corte a curgete e a beringela no sentido longitudinal. Retire um pouco da polpa central da curgete e da beringela e reserve para outra preparação (para uma sopa, por exemplo). Corte os cogumelos em oito e os restantes legumes em cubos de 1 ou 2 cm.

Numa frigideira antiaderente, num fio de azeite quente, salteie os legumes individualmente e tempere com sal e pimenta. Envolva os legumes no cuscuz, acrescente as amêndoas e as ameixas picadas e sirva o cordeiro com o cuscuz, o molho de iogurte e as folhas de hortelã.

Lamb tagine, vegetable couscous and yoghurt sauce

Serves 4

Ingredients:

LAMB:
800 g boned leg of lamb
250 g plum tomato
100 g carrots
150 g onions
50 g leeks
Bay leaf
Water
White wine
Olive oil
Black pepper
Salt

VEGETABLE COUSCOUS:
350 g couscous
Water
100 g courgette
100 g aubergine
100 g Paris mushrooms
100 g red onion
60 g chopped dried prunes
60 g roasted whole almonds without skin
Olive oil
Salt
Pepper

YOGHURT SAUCE:
2 natural yoghurts (well drained for 1 to 2 hours, in a cool place)
1/2 orange (juice and zest)
1/2 lemon (juice and zest)
50 g peeled cucumber (seeded and diced)
Cumin
Mint
Salt
Pepper

Sear the leg of lamb in a frying-pan with hot olive oil.

Sauté the onion, tomato, carrot, leek, bay leaf, black pepper and a little salt in a pan. Add the leg of lamb and a splash of white wine then cover with water, put on the lid and cook gently for 3 to 4 hours.

While the lamb is stewing, prepare the yoghurt sauce: in a pan, mix the drained yoghurts with the orange and lemon juice and zest. Add the diced cucumber and season with salt, pepper, a little cumin and chopped mint. Keep cold.

Remove the leg of lamb from the pan and allow to cool. Using a colander, strain the lamb sauce and set aside only the stock. Shred the lamb and for each 140 g of meat, add 100 ml of stock. Reserve.

Place the couscous on a tray or deep dish. Bring the water to the boil with a little salt, pepper and a drizzle of olive oil and pour over the couscous. The water should be about a finger width above the couscous (if necessary, follow the instructions on the packet). Cover the couscous with cling film and wait for 5 minutes.

Uncover, fork through the couscous and allow to cool.

Cut the unpeeled courgette and aubergine lengthwise. Remove some of the pulp from the middle of the courgette and aubergine and set aside for another dish (e.g. soup). Cut the mushrooms into eight and the other vegetables into 1 or 2 cm cubes.

In a non-stick frying-pan with a little olive oil, sauté the vegetables individually and season with salt and pepper. Stir the vegetables into the couscous, add the almonds and chopped prunes and serve the lamb with the couscous, yoghurt sauce and spear-mint leaves.

Feijão Encarnado
€1,80

Mãozinhas de vitela com grão e cominhos

4 Pessoas

Ingredientes:

2 mãozinhas de vitela
4 pauzinhos de louro
200 g de grão de Ferreira do Alentejo cozido
60 g de chouriço picado
1 dente de alho sem gérmen picado
1 chalota picada
10 g de salsa picada bem fina
Cominhos em pó q.b.
Azeite q.b.
Sal q.b.
Sal marinho q.b.
Pimenta q.b.

COZEDURA DAS MÃOZINHAS:

1 cenoura
1 cebola
Meio alho-francês (só a parte branca)
1 raminho de salsa
4 grãos de pimenta
3 l de água mineral
Sal q.b.

Retire o osso da canela das mãozinhas de vitela.

Com a ajuda de um maçarico, queime as mãozinhas para retirar o pelo que ainda possam ter agarrado. Com uma faca, raspe bem para que fiquem bem limpas. Polvilhe o interior das mãozinhas de vitela com sal marinho, coloque os pauzinhos de louro e deixe no frigorífico para salgarem durante 24 a 48 horas. Lave bem as mãozinhas de vitela e coza-as, sempre em lume brando, com os aromáticos a partir de água mineral fria durante 3 horas, aproximadamente. Retire os restantes ossos e impurezas e corte as mãozinhas em cubinhos de 1,5 cm, aproximadamente (aproveite toda a pele e também os tendões). Passe o caldo da cozedura por um passador de rede bem fina e reserve. Num tacho, com um fio de azeite, refogue o chouriço picado juntamente com a chalota picada e o alho picado. Acrescente um pouco do caldo coado da cozedura e junte as mãozinhas. Deixe cozer 25 minutos, aproximadamente. Mexa de vez em quando para que não agarrem ao fundo. Acrescente o grão. Corrija os temperos com sal e pimenta e junte os cominhos. Deixe cozer mais 5 minutos e acrescente a salsa picada. Sirva bem quente, de imediato.

Veal feet with chickpeas and cumin

Serves 4

Ingredients:
2 veal feet
4 laurel sticks
200 g cooked chickpeas
60 g chopped chouriço sausage
1 clove of garlic, cored
1 shallot, chopped
10 g parsley, finely chopped
Ground cumin
Olive oil
Salt
Sea salt
Pepper

COOKING THE FEET:
1 carrot
1 onion
Half a leek (white part only)
1 sprig of parsley
4 peppercorns
3 litres of mineral water
Salt

Remove the shin bone from the veal feet.

Using a blowtorch, burn the feet to remove any hair that may still be attached. With a knife, scrape the feet clean. Sprinkle the inside of the veal feet with sea salt, add the laurel sticks and leave in the fridge for 24 to 48 hours. Wash the feet well and, starting with cold mineral water, simmer gently with the flavourings for about 3 hours. Remove the rest of the bones and impurities and cut the feet into approximately 1.5 cm cubes (use all the skin and the tendons). Strain the stock through a colander and reserve. Fry the chopped chouriço together with the chopped shallot and garlic in a pan with a little olive oil. Add a little of the strained stock and the feet. Cook for about 25 minutes. Stir occasionally to prevent sticking. Add the chickpeas. Adjust the seasoning and add the cumin. Cook for another 5 minutes and add the chopped parsley. Serve hot immediately.

FRAGIL
40
OVOS

Pato de escabeche com puré de maçã e batata palha

4 Pessoas

Ingredientes:

PATO:
1 pato
3 litros de água + água q.b.
100 g de sal grosso
75 g de açúcar
100 ml de vinho branco
2 laranjas
1 limão
1 cebola
½ cabeça de alho esmagada
3 ramos de alecrim
4 raminhos de tomilho
2 folhas de louro
7 grãos de pimenta

ESCABECHE DE LEGUMES:
400 g de cebola
150 g de cenoura
2 dentes de alho
4 cravinhos
1 folha de louro
30 ml de vinagre de vinho branco
30 ml de vinagre de vinho tinto
Sal q.b.
Azeite q.b.
Pimenta-preta de moinho

PURÉ DE MAÇÃ:
5 maçãs reineta
50 g de manteiga
25 g de açúcar mascavado
5 paus de canela

Batata palha q.b.

Comece por limpar bem o pato. Retire os miúdos, os pulmões, o rabo e separe o pescoço. Corte as cebolas, as laranjas e o limão em rodelas e esmague os dentes de alho. Num recipiente grande, coloque a água e dissolva bem o açúcar e o sal grosso. Junte as cebolas, as laranjas, o limão e o alho. Coloque o pato dentro desta salmoura e deixe marinar durante 6 horas. Retire o pato da salmoura e coloque-o sobre uma grelha de ir ao forno. Num tabuleiro de forno, coloque parte dos ingredientes da salmoura: 2 rodelas de laranja, 1 rodela de limão, as cebolas fatiadas e os alhos. Junte ao tabuleiro o pescoço do pato e adicione água até encher o tabuleiro com 1 cm de altura. Coloque o tabuleiro no forno e por cima a grelha com o pato. Asse o pato durante 2 horas a 140°C, aproximadamente (o tempo varia consoante o forno). Depois de arrefecer, separe a carne e desfie. Reserve. Para preparar o puré de maçã, retire o caroço às maçãs reinetas, mas mantenha-as inteiras e com pele. Passe as maçãs para um tabuleiro de forno e, no centro de cada maçã, coloque um pau de canela, 10 g de manteiga e 5 g de açúcar. Leve a assar ao forno aquecido a 140°C até as maçãs estarem bem tenras (o tempo vai variar consoante estejam mais verdes ou mais maduras). Pele as maçãs e triture até obter um puré cremoso.

Para preparar o escabeche de legumes, corte a cebola e a cenoura em juliana. Num tacho, aqueça um fio generoso de azeite e junte o alho, a cenoura, a cebola, uma folha de louro, cravinho, uns grãos de pimenta e, se necessário, um pouco mais de azeite. Quando a cebola começar a ficar translúcida, acrescente os vinagres e deixe cozinhar lentamente até os legumes ficarem tenros. Corrija os temperos com sal e pimenta-preta e reserve. Quando o escabeche de legumes estiver frio, envolva o pato desfiado.

Sirva com puré de maçã e batata palha.

Duck escabeche with puréed apple and matchstick potatoes

Serves 4

Ingredients:

DUCK:
1 duck
3 litres of water (extra water, if needed)
100 g rock salt
75 g sugar
100 ml white wine
2 oranges
1 lemon
1 onion
½ head of garlic, crushed
3 sprigs of rosemary
4 sprigs of thyme
2 bay leaves
7 peppercorns

VEGETABLE ESCABECHE:
400 g onion
150 g carrot
2 garlic cloves
4 cloves
1 bay leaf
30 ml white wine vinegar
30 ml red wine vinegar
Salt
Olive oil
Freshly-ground black pepper

APPLE PURÉE:
5 *reineta* apples
50 g butter
25 g muscovado sugar
5 cinnamon sticks

Matchsticks potatoes

Start by cleaning the duck. Remove the offal, lungs, parson's nose and neck. Slice the onions, oranges and lemon into rings and crush the garlic cloves. Put the water in a large recipient and dissolve the sugar and sea salt. Add the onions, oranges, lemon and garlic. Place the duck in this brine and marinate for 6 hours. Remove the duck from the brine and place on a grill shelf. Place part of the brine ingredients on an oven tray: 2 slices of orange, 1 slice of lemon, the sliced onions and the garlic. Add the duck neck and 1 cm of water to the tray. Place the tray in the oven and the grill shelf with the duck above it. Roast the duck for about 2 hours at 140°C (the time varies depending on the oven). Leave the duck to cool, then remove from the bone and shred the meat.

Reserve. To prepare the puréed apple, remove the core from the cooking apples but keep them whole and unpeeled. Transfer the apples to an oven tray and place a cinnamon stick, 10 g of butter and 5 g of sugar in the centre of each apple. Bake in the oven (140°C) until the apples are tender (the time will vary depending on how ripe they are). Peel the apples and blend until you get a creamy purée.

To prepare the vegetable escabeche, finely slice the onion and carrot. Heat a generous drizzle of olive oil in a pan and add the garlic, carrot, onion, a bay leaf, clove, some peppercorns and, if necessary, a little more olive oil. When the onion begins to turn transparent, add the vinegars and cook gently until the vegetables are tender. Adjust the seasoning and reserve. Once the vegetable escabeche is cold, stir in the shredded duck. Serve with puréed apple and matchstick potatoes.

CANTINHO
DO
AVILLEZ
CANTINHO
DO
AVILLEZ

Bife tártaro com batatas NY

Ingredientes:

BIFE TÁRTARO:
520 g de vazia limpa
35 g de chalota picada
30 g de cornichons picados
30 g de alcaparras picadas
40 g de emulsão de mostarda Dijon
Pequenas folhas de manjericão

BATATAS NY:
400 g de batatas descascadas e cortadas em palitos
Queijo parmesão ralado q.b.
4 gotas de azeite de trufa branca
Redução de balsâmico q.b.
Sal q.b.

EMULSÃO DE MOSTARDA DIJON:
3 gemas de ovo
40 g de mostarda DIjon
250 ml de óleo de amendoim
7 ml de água
4 g de sal fino

REDUÇÃO DE BALSÂMICO:
500 ml de vinagre balsâmico

Comece por preparar a redução de vinagre balsâmico. Coloque o vinagre balsâmico num pequeno tacho e deixe reduzir lentamente, em lume muito brando, até 10% do volume inicial (neste caso, deverá obter 50 ml). Reserve.

Para preparar a emulsão de mostarda Dijon, bata as gemas com a mostarda e a água até obter uma mistura ligeiramente espumosa. Junte o óleo em fio, pouco a pouco, batendo sempre até sentir que a maionese está a engrossar. Retifique os temperos com sal e reserve no frio.

Com a ajuda de uma faca afiada, corte a vazia em fatias finas, depois corte as fatias em tiras e, por fim, pique. Envolva na carne picada a chalota picada, os cornichons picados, as alcaparras picadas e cerca de 40 g de emulsão de mostarda Dijon. Reserve no frio.

Frite as batatas em óleo quente. Assim que acabarem de fritar, escorra-as, tempere-as com queijo parmesão ralado e envolva bem (se necessário, pode temperá-las com um pouco de sal, mas tenha atenção que o queijo parmesão é bastante salgado). Por fim, acrescente as gotas de óleo de trufa às batatas fritas. Coloque o bife tártaro no prato e junte as batatas. Finalize as batatas com riscos de redução de balsâmico e com pequenas folhas de manjericão. Sirva de imediato.

Steak tartare with NY potatoes

Ingredients:

STEAK TARTARE:
520 g sirloin
35 g chopped shallot
30 g chopped gherkins
30 g chopped capers
40 g Dijon mustard emulsion
Small basil leaves

NY POTATOES:
400 g potatoes, peeled and cut into chips
Grated parmesan cheese
4 drops of white truffle oil
Balsamic reduction
Salt

DIJON MUSTARD EMULSION:
3 egg yolks
40 g Dijon mustard
250 ml peanut oil
7 ml water
4 g fine-grain salt

BALSAMIC REDUCTION:
500 ml balsamic vinegar

Start by preparing the balsamic vinegar reduction. Reduce the vinegar, on a very low heat, to 10% of the initial volume (in this case, you should get about 50 ml). Reserve.

To prepare the Dijon mustard emulsion, beat the egg yolks with the mustard and water until you get a slightly foamy mixture. Gradually pour in the oil, stirring constantly until the mayonnaise thickens. Adjust seasoning and keep in the fridge.

Using a sharp knife, cut the steak into thin slices, then into strips and, finally, mince it. Chop the shallot, gherkins and capers and stir into the minced meat with about 40 g of the Dijon mustard emulsion. Keep in the fridge.

Fry the potatoes in hot oil. As soon as they are fried, drain, season with grated parmesan cheese and toss well (if necessary, you can season with a little salt, but remember that parmesan cheese is fairly salty). Finally, add the drops of truffle oil to the fries. Place the steak tartare on the plate and add the fries. Drizzle the balsamic reduction over the potatoes and sprinkle with small basil leaves. Serve immediately.

PERNINHAS
PERÚ
Kilo 1.99 €
0.50 €
TALHOS A.C. CARNES, LDA.
COELHO
KG
IVA INCLUIDO
3.99
ASAS
PERÚ
KG
IVA INCLUIDO
1.49
COELHO
GRELHAR
KG
IVA INCLUIDO
3 €
PEITOS FRANGO
Kilo 1.49 €
FRANGO
FÍGADOS
PESCOÇOS
Kilo 1.49 €

FRICASSE
FRANGO
Kilo 0.99 €
COELHO
XXXL
Kilo 2.9
CAMPESTRE
TALHOS A.C. CARNES, LDA.
FRANGO
CAMPO
KG
3.99 €
IVA INCLUIDO
TALHOS A.C. CARNES, LDA.
BIFE
PERÚ
KG
6.49
IVA INCLUIDO

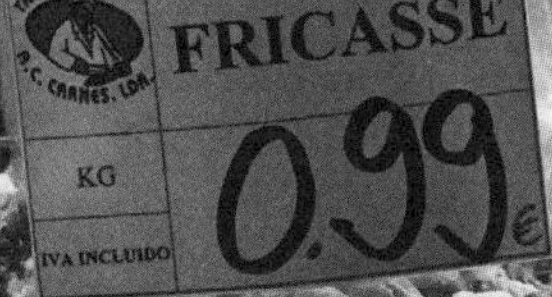
TALHOS A.C. CARNES, LDA.
FRICASSÉ
KG
0.99 €
IVA INCLUIDO

TALHOS A.C. CARNES, LDA.
ASAS
FRANGO
KG
1.99 €
IVA INCLUIDO

SOBREMESAS
(DESSERTS)

Farinhas
d'A Mariazinha
Preços
Alimento, com açúcar . . . . 16$oo
Amido, de milho . . . . 12$oo
Arroz . . . . 1o$oo
Aveia . . . . 16$oo
Aveiacau Fernandita, com açúcar . . . . 2o$oo
Cevada, torrada . . . . . . 9$oo
Duas Pombas, com açúcar . . 18$oo
Fava, torrada . . . . 8$oo
Favacau . . . . 12$oo
Fécula de Batata, especial . . 14$oo
Flocos de Aveia, do Canadá . 11$oo
Milho, torrada . . . . . . 8$oo
Tapioca, especial . . . . . 14$oo
Açúcar
GASIFICADA

Bolo de chocolate à Cantinho com gelado de morango

4 Pessoas

(Receita da minha prima Sofia)

Ingredientes:

150 g de chocolate com
  52% de cacau, mínimo
150 g de manteiga sem sal
125 g de açúcar
30 g de farinha
4 ovos
Manteiga q.b.
Açúcar em pó q.b.
Gelado de morango q.b.

Pincele uma forma redonda com 22 cm de diâmetro com manteiga e reserve.

Derreta o chocolate e a manteiga sem sal em banho-maria. Numa taça, bata os ovos inteiros com o açúcar. Junte, pouco a pouco, o preparado de chocolate aos ovos batidos com açúcar e envolva bem. Acrescente gradualmente a farinha peneirada e envolva. Encha a forma e leve ao forno pré-aquecido a 160°C durante 20 a 25 minutos, até o bolo ganhar alguma firmeza, mas sem cozer demasiado. Retire do forno, desenforme e deixe arrefecer sobre uma grelha. Corte em fatias. Sirva polvilhado com o açúcar em pó e acompanhe com gelado de morango.

Cantinho chocolate cake with strawberry ice cream

Serves 4

(My cousin Sofia's recipe)

Ingredients:

150 g chocolate
  (52% cocoa minimum)
150 g butter
125 g sugar
30 g flour
4 eggs
Butter
Icing sugar
Strawberry ice cream

Grease a 22 cm round cake tin with butter and reserve.

Melt the chocolate and the unsalted butter in bain-marie. Beat the whole eggs with the sugar in a bowl. Gradually add the chocolate mix to the eggs and sugar and stir well. Slowly add the sifted flour and mix in. Put the mixture into the cake tin and bake in a pre-heated oven at 160°C for 20 to 25 minutes until the cake is firm to the touch, but not overcooked. Remove from the oven, loosen from the tin and cool on a wire rack. Cut into slices. Sprinkle the brownies with icing sugar and serve with strawberry ice cream.

Avelã³

4 Pessoas

Ingredientes:

ESPUMA DE AVELÃ:
300 g de praliné de avelã
50 g de leite meio gordo
250 g de natas

200 g de gelado de avelã de qualidade
50 g de avelã pelada
Flor de sal q.b.

Para preparar a espuma de avelã, coloque todos os ingredientes num recipiente e triture com a varinha mágica até formar um creme.

Coloque dentro de um sifão, junte duas cargas e reserve no frigorífico. Deverá retirar o sifão do frigorífico cerca de 30 minutos antes de servir.

Torre as avelãs no forno aquecido a 140°C até ficarem douradas.
Deixe arrefecer e reserve.
No fundo de cada copo, coloque uma bola de gelado de avelã.
Por cima, acrescente um pouco de espuma de avelã.
Finalize com um pouco de avelã ralada no momento e flor de sal.

Sirva de imediato.

Hazelnut trio

Serves 4

Ingredients:

HAZELNUT FOAM:
300 g hazelnut praline
50 g semi-skimmed milk
250 g cream

200 g quality hazelnut ice cream
50 g peeled hazelnuts
Salt flower

To prepare the hazelnut foam, place all the ingredients in a recipient and mix with a hand blender until creamy.

Place in a syphon, add two cartridges and keep in the fridge. You should remove the syphon from the fridge about 30 minutes before serving.

Toast the hazelnuts in a 140°C oven until golden.
Cool and reserve.
Place a ball of hazelnut ice cream at the bottom of each glass.
Put a little hazelnut foam on top of this.
Top with freshly-grated hazelnut and salt flower.

Serve immediately.

TOTAL EUROS
0.00
PESO KG.
0.000
PRECO/KG EUROS
0.00
2013
12
FRUMA

STAUB

Leite-creme de laranja e baunilha

4 Pessoas

Ingredientes:

50 ml de leite
300 ml de natas
55 g de açúcar demerara
4 gemas de ovo
2 colheres de sopa de sumo de laranja
1 a 2 vagens de baunilha
Vidrado de laranja q.b.
(sem a parte branca)
Açúcar demerara q.b.

Aqueça o forno a 150°C. Leve o leite ao lume juntamente com 100 ml de natas. Abra a vagem de baunilha ao meio e, com a ajuda de uma faca, retire bem as sementes. Acrescente ao leite as sementes de baunilha, a vagem, a casca de laranja e deixe que comece a fervilhar. Numa taça, bata as gemas com o açúcar.

Retire o leite aromatizado do lume e junte a restante nata fria e o sumo de laranja. Envolva bem e acrescente progressivamente às gemas envolvendo sempre com umas varas. Coe por um passador fino e distribua o preparado pelas taças enchendo cada uma até dois terços. Coloque as taças num tabuleiro de forno. Com cuidado, encha o tabuleiro com água quente até metade da altura das taças e leve ao forno a cozer durante 40 minutos, aproximadamente. O creme deve ficar firme, mas com uma pequena ondulação ao centro (quando arrefecer, o creme irá assentar). Retire do forno e deixe arrefecer à temperatura ambiente. Logo que as taças estejam frias, reserve no frigorífico até pouco antes de servir (pode conservar estes cremes refrigerados até 3 dias). Retire as taças do frigorífico 10 minutos antes de servir. Polvilhe com açúcar demerera e caramelize com a ajuda de um maçarico. Sirva de imediato.

Orange and vanilla *leite-creme*

Serves 4

Ingredients:

50 ml milk
300 ml cream
55 g Demerara sugar
4 egg yolks
2 tablespoons of orange juice
1 to 2 vanilla pods
Orange zest
Demerara sugar

Pre-heat the oven to 150°C. Add 100 ml of cream to the milk. Open the vanilla pod down the middle and remove the seeds. Add the vanilla seeds, pod, and orange peel to the milk and cream and bring to the boil. Beat the egg yolks with the sugar in a bowl.

Remove the flavoured milk from the heat and add the rest of the cream and the orange juice. Mix well and gradually add the yolks, whisking constantly. Strain through a fine sieve and divide the mixture into the bowls, filling each one to about two-thirds. Carefully fill the tray with hot water about halfway up the bowls and bake for about 40 minutes. The crème must be firm but slightly wobbly in the middle (when it cools, it will settle). Remove from the oven and cool at room temperature. As soon as the bowls are cold, put in the fridge until shortly before serving (these crèmes can be kept in the fridge for up to 3 days). Remove the bowls from the fridge 10 minutes before serving. Sprinkle with Demerara sugar and caramelise using a blowtorch. Serve immediately.

Cheesecake enfrascado

4 Pessoas

Ingredientes:

CHEESECAKE:

200 g de bolacha Maria
200 g de manteiga sem sal amolecida
4 folhas de gelatina
200 ml de leite meio gordo morno
200 g de queijo-creme
200 ml de natas
1 iogurte natural
75 g de açúcar

COULIS DE CEREJAS:

500 g de cerejas descaroçadas
1 colher de sopa de açúcar

FINALIZAÇÃO:

Cerejas descaroçadas q.b.
Folhas pequenas de manjericão q.b.

Triture as bolachas. Envolva bem a manteiga amolecida com as bolachas trituradas, estique num tabuleiro de forno, e leve a assar a 160°C durante 10 minutos (dependendo da potência do forno). Demolhe as folhas de gelatina num pouco de água. Dissolva a gelatina, previamente demolhada e espremida, no leite morno. Acrescente o açúcar, misture bem até dissolver e reserve. Numa taça, bata o queijo-creme com o iogurte e as natas. Junte o preparado de leite a esta mistura de queijo, iogurte e natas e envolva tudo novamente. Coloque este preparado dentro de um sifão e junte duas cargas de gás. Reserve no frigorífico durante algumas horas para que fique bem frio. Para preparar o *coulis* de cerejas, triture as cerejas descaroçadas com uma colher de sopa de açúcar, passe por um passador de rede e reserve. No momento de servir, coloque um pouco da mistura de bolachas no fundo de um frasco e, por cima, a espuma de *cheesecake*. Finalize com uma ou duas colheres de sopa de *coulis* de cerejas, algumas cerejas descaroçadas e pequenas folhas de manjericão. Sirva de imediato.

Cheesecake in a jar

Serves 4

Ingredients:

CHEESECAKE:
200 g Rich tea biscuits
200 g softened, unsalted butter
4 sheets of gelatine
200 ml warm semi-skimmed milk
200 g cream cheese
200 ml cream
1 natural yoghurt
75 g sugar

CHERRY COULIS:
500 g pitted cherries
1 tablespoon of sugar

PLATING:
Pitted cherries
Small basil leaves to taste

Finely crush the biscuits. Stir the softened butter into the crushed biscuits and spread over a baking tray and bake at 160°C for 10 minutes (depending on how efficient your oven is). Soak the sheets of gelatine in a little water. Dissolve the soaked and drained gelatine in warm milk. Add the sugar, stirring until it dissolves and reserve. Beat the cream cheese with the yoghurt and cream in a bowl. Add the milk mixture to the cheese, yoghurt and cream and mix well again. Place this mixture in a syphon and add two gas cartridges. Put in the fridge for a few hours until very cold. To prepare the cherry coulis, blend the pitted cherries with a tablespoon of sugar, strain through a sieve and set aside. When ready to serve, place a little biscuit mix at the bottom of a jar followed by a layer of cheesecake foam. Top with one or two tablespoons of cherry coulis, some pitted cherries and small basil leaves. Serve immediately.

Salada de fruta caramelizada

4 Pessoas

Ingredientes:

300 g de abacaxi
250 g de morangos
200 g de maçã Granny Smith
200 g de pêssego
3 laranjas
Hortelã da Ribeira q.b.
Açúcar demerara q.b.

MOLHO DE IOGURTE:
100 g de iogurte natural
Sumo de lima q.b.
Açúcar q.b.

Faça sumo com as laranjas.
Coloque o sumo de laranja dentro de uma taça grande de servir e junte um pouco de hortelã da Ribeira picada.
Retire a casca a uma das maçãs e mantenha a outra maçã com casca.
Corte as maçãs em cubos e junte.
Descasque e corte em cubos o pêssego e o abacaxi e junte também.
Arranje os morangos, corte ao meio e acrescente à salada de fruta.
Envolva bem todos os frutos com o sumo.
Polvilhe com açúcar e caramelize com a ajuda de um maçarico.
Escorra bem o iogurte e misture com os restantes ingredientes.
Salpique a salada com o molho depois de caramelizar.
Sirva de imediato.

Caramelised fruit salad

Serves 4

Ingredients:

300 g pineapple
250 g strawberries
200 g Granny Smith apples
200 g peaches
3 oranges
Hart's pennyroyal
Demerara sugar

YOGHURT SAUCE:
100 g natural yoghurt
Lime juice
Sugar

Squeeze the oranges.
Place the orange juice in a large bowl and add a little chopped Hart's pennyroyal.
Peel one of the apples and leave the peel on the other.
Dice the apples and add to the bowl.
Add the peeled and diced peach and pineapple.
Hull the strawberries, cut in half and add to the fruit salad.
Mix all the fruit well with the juice.
Sprinkle with sugar and caramelise using a blowtorch.
Drain the yoghurt well and mix with the other ingredients.
Dot the salad with the sauce after caramelising.
Serve immediately.

Queijo da Serra com pasta de azeitonas

4 Pessoas

Ingredientes:

480 g de queijo da Serra
com 3 a 4 meses de cura
115 g de azeitonas galegas
15 g de sumo de limão
Azeite q.b.

Retire os caroços às azeitonas galegas e triture-as juntando um fio de azeite e o sumo de limão. Sirva o queijo da Serra com a pasta de azeitonas.

Queijo da Serra cheese with olive paste

Serves 4

Ingredients:

480 g Queijo da Serra cheese
(cured for 3 to 4 months)
115 g *galega* olives
15 g lemon juice
Olive oil

Remove the stones from the galega olives and blend with a little olive oil and the lemon juice. Serve the Queijo da Serra cheese with the olive paste.

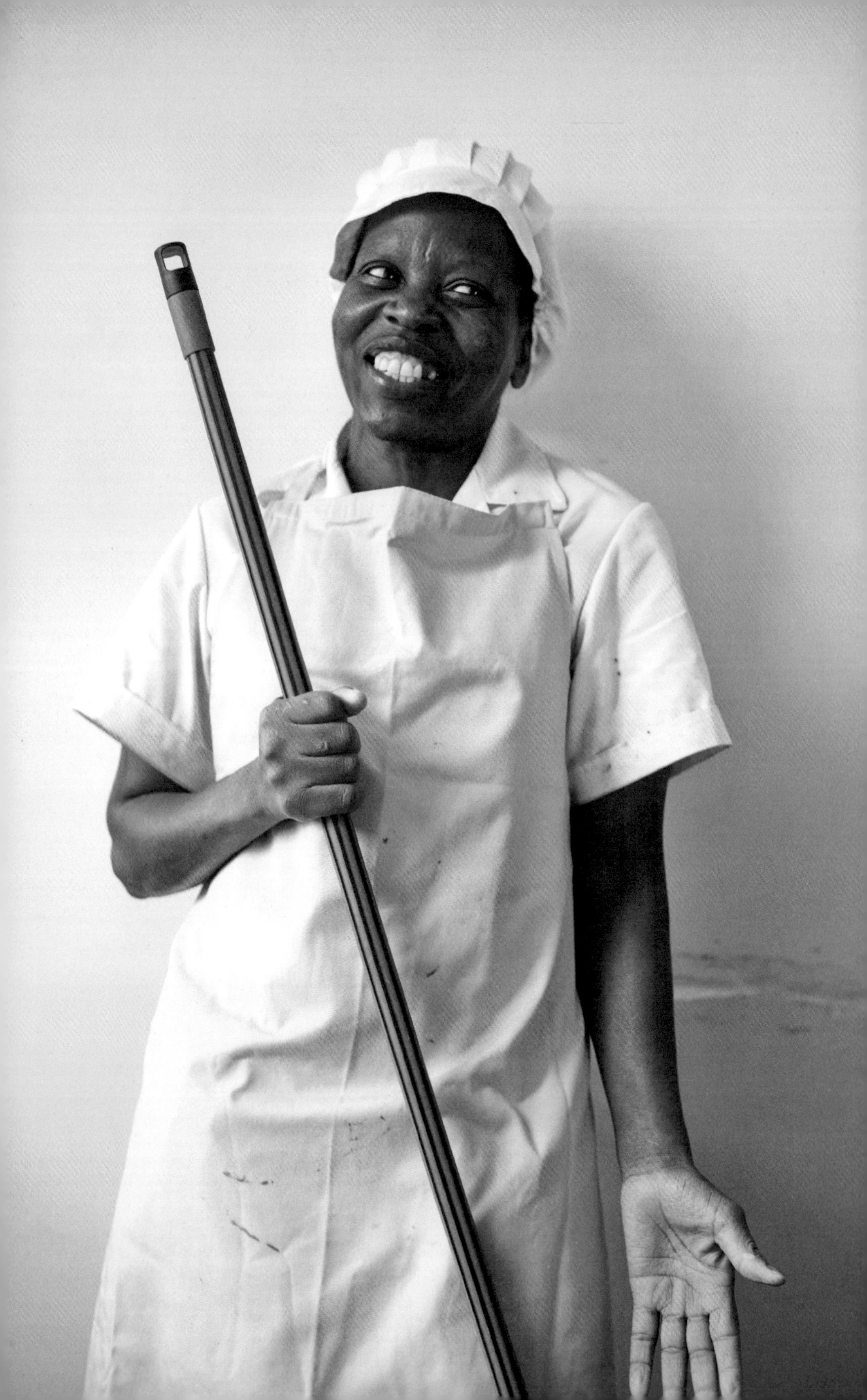

AGRADECIMENTOS / ACKNOWLEDGMENTS

As palavras que aqui escrevo nunca serão suficientes para expressar verdadeiramente o quão agradecido estou a toda a minha equipa. Pessoas que partilham da minha paixão e que querem, como eu, fazer sempre mais e melhor! Pessoas que todos os dias investem em mim e no nosso projeto, pondo muitas vezes as suas vidas em segundo plano! Pessoas que considero família com quem gosto de estar e partilhar os momentos bons e os menos bons.
O CANTINHO DO AVILLEZ é fruto do trabalho de todas estas pessoas: do David, meu braço direito, e muitas vezes esquerdo, de todas as pessoas que estão na cozinha a dar tudo para cozinharmos o melhor que sabemos, de quem está na sala, sempre com um sorriso a receber e a acarinhar todas as pessoas que vêm ao CANTINHO (como gostamos de o chamar) e de todas as pessoas que, mesmo mais afastadas da operação, pensam em cada detalhe, vibram com todos os seus sucessos e sofrem com qualquer contratempo.
Não queria deixar de agradecer também a todos os nossos fornecedores que nos querem dar sempre o melhor e, claro, a todos os clientes e amigos que desde o primeiro dia acreditaram e acreditam em nós. Estes são os verdadeiros responsáveis por este livro existir! OBRIGADO.
E por fim um agradecimento muito, muito especial a quem me acompanha há muito nestas duras mas divertidas batalhas e que durante várias semanas trabalhou dia e noite para que fosse verdadeiramente possível fazer este livro. OBRIGADO, Mónica.

The words I write here will never really be enough to thank my entire team, who share both my passion and desire to always do things that bit better! Every day, they invest in me and our project, often putting themselves and their lives in second place! I consider them to be family; people whose company I enjoy and with whom I have shared both ups and downs.
CANTINHO DO AVILLEZ is the product of all these people: David, my right-hand man (and very often my left hand too!); everyone in the kitchen, giving their all, so we cook the very best way we can; all the service staff, who always have a smile as they welcome and look after those who come to CANTINHO (as we like to call it), and all those who, even though not directly involved in the day-to-day running of things, focus on the tiniest details, appreciate our successes and worry about any setbacks we might have.
I would also like to thank our suppliers, who always strive to give their very best, and, of course, all our diners and friends who, from day one, have believed and continue to believe in us. This book only exists because of these people! THANK YOU.
And, finally, special thanks go to someone who has helped me during these tough but interesting times, working day and night to make this book possible. THANK YOU, Mónica.

José Avillez

BIOGRAFIA / BIOGRAPHY

Considerado como uma das grandes referências da cozinha em Portugal, José Avillez tem-se destacado pelo espírito empreendedor e pela vontade de ir mais além. Atualmente, tem quatro restaurantes, no Chiado, em Lisboa: o Belcanto, o Cantinho do Avillez, o Café Lisboa e a Pizzaria Lisboa. O Belcanto, distinguido com uma estrela Michelin em menos de um ano após a abertura, oferece uma nova cozinha portuguesa num ambiente sofisticado que ainda mantém um certo romantismo do antigo Chiado. Esta é a cozinha que verdadeiramente o identifica e que expressa a sua evolução criativa. O Cantinho do Avillez, um dos pontos de encontro mais procurados da cidade, caracteriza-se pela boa cozinha de inspiração portuguesa com influências de viagens e pelo ambiente confortável e descontraído. O Café Lisboa, no Teatro Nacional de São Carlos, tem uma sala no interior do teatro que recuperou o charme deste extraordinário edifício e uma magnífica esplanada. No Cafe Lisboa é possível tomar um café, petiscar, almoçar, jantar ou apenas beber um copo, a qualquer hora, das 12h às 01h, sete dias por semana. A Pizzaria Lisboa é a realização de um sonho antigo. Aqui é possível encontrar uma boa cozinha de inspiração mediterrânica e um ambiente familiar e alegre.

Undoubtedly one of the most important figures on the Portuguese culinary scene, José Avillez has distinguished himself for his entrepreneurial spirit and desire to stretch gastronomic boundaries. He currently runs four restaurants in Lisbon's Chiado neighbourhood: Belcanto, Cantinho do Avillez, Café Lisboa and Pizzaria Lisboa. Belcanto, which garnered a Michelin star less than a year after opening, offers contemporary Portuguese cuisine in a sophisticated ambience that echoes a romantic Chiado of a bygone age. This is the cuisine that essentially identifies José Avillez and his creative edge. Cantinho do Avillez, one of the city's food hotspots, serves Portuguese-inspired cuisine with an international influence in a relaxed and comfortable setting. Café Lisboa is situated in the São Carlos National Theatre and boasts a magnificent terrace, where customers can enjoy a cup of coffee, light bites, lunch, dinner or just relax with a drink from 12.00 p.m. to 1.00 a.m., seven days a week, while Pizzaria Lisboa, which is the product of a long-held ambition, offers quality Mediterranean-style cuisine and a cheerful, family atmosphere.

Índice / Contents

Farinheira com crosta de broa e coentros .... .52
Farinheira sausage with coriander and *broa* cornbread .... .52

Queijo de Nisa no forno com presunto e mel de rosmaninho .... .54
Baked Nisa cheese with cured ham and rosemary honey .... .54

«Crumble» de morcela da Guarda e maçã .... .56
Regional black pudding and apple crumble .... .56

Fígados de aves salteados com uvas e Porto 60
Sautéed poultry livers with grapes and port 61

Camarões salteados com alho, malagueta, coentros e erva-príncipe .... .62
Sautéed prawns with garlic, chili, coriander and lemon grass .... .62

PREGOS / STEAK SANDWICHES

Prego tradicional .... .68
Traditional .... .69

Prego MX-LX .... .72
MX-LX 73

Prego à «Convento de Alcântara» .... .75
Alcântara Convent .... .75

PRATOS / DISHES

Salada de raia .... .82
Skate wing salad .... .83

Lascas de bacalhau, «migas soltas», ovo BT e azeitonas explosivas .... .86
Flakes of salt cod, vegetable stuffing, low-temperature eggs
and explosive olives .... .88

Risotto de espumante com açafrão e camarão .... .92
Sparkling wine risotto with saffron and prawn .... .93

Vieiras na frigideira com cogumelos e batata-doce de Aljezur .... .96
Pan-fried scallops with mushrooms and sweet potato from Aljezur .... .98

Atum grelhado com legumes e emulsão de soja e gengibre 102
Grilled tuna with vegetables and soy and ginger emulsion 103

Risotto de cogumelos portobello com lascas de parmesão 106
Portobello mushroom risotto with parmesan shavings 107

SOBREMESAS / DESSERTS

CANTINHO DO AVILLEZ
+ 351 21 199 23 69
Rua dos Duques de Bragança, 7
1200-162 Lisboa
Portugal
www.facebook.com/ChefJoseAvillez
www.joseavillez.pt
www.cantinhodoavillez.pt